私のこと、好きだった？

林　真理子

光文社

目次

私のこと、好きだった？

I

六本木に新しく出来た高層ビル群に、ミズホテレビが移転してから、半年が過ぎようとしていた。

が、今度の社屋は使いづらいと、同僚の者たちは口々に言う。駅からのコンコースが長いのと、あまりにも観光客が多過ぎてランチが取りづらいのだ。確かに昼どきともなれば、各店に長い列が出来る。あの中に割り込むのはむずかしい。ましてや、みなに顔を知られるアナウンサーともなればなおさらだ。

美季子《みきこ》は、スターバックスで買ったサンドウイッチを齧《かじ》りながら、パソコンの前に座っていた。画面に映っているのは、部下のアナウンサーたちのシフト表であった。四十二歳になる美季子はチーフという肩書きがつき、若い女性アナウンサーたちのスケジュールの決定と管理を任されている。美季子が今、頭を悩ませているのは、夏休みの特別番組司会をつとめる局アナの振り分けだ。

人気アナウンサーには、どこの番組のプロデューサーからも希望が殺到する。中でも村上《むらかみ》未来《みく》の人気が凄い。彼女はミズホテレビのみならず、在京キー局のトップの女性アナウンサーといってもいいだろう。

主流の帰国子女でもなく、一流大学を卒業しているわけでもない。関西の二流どころの女子大出という彼女が、人気が出てきたきっかけは、夜のスポーツ番組であった。無知を売り物にボケ役になるアナウンサーと違い、未来はいちから野球やサッカーのことを勉強し始めた。その努力が視聴者に好感を持たれたのだ。アイドルというよりも、端整な美人だったこともよかったのかもしれない。いつのまにか、

「美貌と実力を兼ね備えたアナウンサー」

という評価が出てきた。年齢も二十七歳と、いい感じで車輪がまわり出した働き盛りである。気がつくと未来のレギュラーは週に三つとなり、そのうちのひとつは夜の帯番組だ。これ以上特番を引き受けたら、とても体がもたないと未来は言った。

「ゴールデンウイーク中も、一日も休みが取れなかったんですよ、せめて夏休みぐらいどこかへ行きたいんです」

そんな愚痴とも懇願ともつかない未来の言葉を聞きながら、美季子は彼女の恋人と噂され

る野球選手のことを思い出した。今どき野球選手と女性アナウンサーの組み合わせなど珍しくないが、未来の場合、相手に問題があった。大球団のスターであるが、あまり評判のよくない選手なのだ。女性関係をよく取り沙汰されるうえに、そうたいしたことにはならなかったものの、酔ったうえでの暴力事件も起こしたことがある。

この選手と腕を組んでマンションから出てくる未来の姿が、写真週刊誌に載った時は大変な騒ぎだった。視聴者からの電話で回線はパンク寸前になり、アナウンサー室長の藤井《ふじい》は、社長に呼ばれさんざん責められたという。

そして幹部たちの出した結論は、

「男と会えないように、とにかく仕事を入れろ」

ということのようだ。その指示に従って、美季子も次々と彼女に予定を入れているのであるが、内心むごいことをしていると思っている。二十代の後半といえば、仕事も恋愛も面白くてたまらない頃だ。美季子にも憶えがあるが、暇さえあれば恋人のところへ行き、濃密な時間を過ごした。当時は今のように、マスコミも女性アナウンサーにたいした興味をはらわなかったので、美季子はふつうのOLのように自由にふるまえたのだ。

とはいうものの、あの頃美季子は、夜の報道番組のキャスターをつとめ、ミズホテレビの看板アナと言われていた。だから顔を知っている者も多く、恋人と二人でレストランへ入ったりすると、ひそひそと声をたてられたものだ。

「キミは有名人だから落ち着かないよ」

と言う恋人に美季子は言ったものだ。

「私は芸能人じゃないの、単にテレビに出ているお仕事をしているだけ。それが証拠に、誰も私には話しかけてこないでしょう」

が、あれから十数年以上たって、そんな呑気《のんき》なことを言っていられなくなった。芸能人以上にマスコミに露出する女性アナウンサーたちは、もううかうかと電車にも乗っていられない。ましてやトップの人気を誇る未来となれば、それこそ四六時中カメラに見張られているだろう。彼女のストレスを減らすためにも、夏休みの特番を半分に減らし、あとをもっと若いアナウンサーに担当させることは出来るのではないだろうか……。

その時、傍《そば》に置いた携帯がメールの着信を告げた。携帯に手を伸ばす時、自分のネイルを確かめるのはもはや職業上の癖といえる。大画面にデジタルとなったテレビは、マニキュアの剝《は》がれを絶対に見逃さないからだ。美季子のジェルフレンチネイルは、まるで塗りたてのように美しい。ネイリストが選んでくれたピンクも上品ないい色だ。けれども、この何ヶ月か、このピンク色の爪がアップで映し出されることはなかった。

受信のボタンを押す。三橋兼一《みつはしけんいち》からであった。

「たまにはメシでも食わないか。何でもおごるよ」

すぐに返信のメールを打った。

「サンキュー、水曜以外いつでもヒマだよ。ありがとねー」

兼一は美季子の大学時代の同級生である。私大のマスコミ学科で、文字どおり多くの卒業生をマスコミ界に送っている。兼一は大手の出版社に入社した。単行本の編集というのは、希望どおりの仕事だったに違いない。忙しいとこぼしながらも仕事のことをあれこれ喋る。たまには自分のつくった本を送ってきてくれることもあった。兼一の部署は小説ではなく、エッセイや実用書をつくる生活局というところだ。彼いわく、

「あんまり売れないけど、何年かに一度メガヒットが出る部署なんだ。運よくこの時期に編集長をしていると、出世のコースをたどれることになる」

そして、

「だけど、俺はもう出世は無理だろうなあ、わかってるけどさア」

冗談とも本気ともつかぬ口調で兼一が言うには理由があった。

今から七年前のこと、兼一は若い女と恋愛をした。兼一はその時妻がいたから不倫ということになる。マスコミ業界では不倫などそう珍しいことではなかったのに、この恋が露見し、騒がれることになったのは、若い女が妊娠したからだ。しかも女は編集部に出入りするライターで、彼女の妊娠は全社中が知るところとなった。

この騒ぎの最中、美季子は絶えず励まし続けた。兼一の方ではなく、彼の妻である美里《みさと》の方をだ。

「いい、絶対にハンコを押しちゃ駄目よ。美里があっさり別れてやったら、あっちの若いコの思うツボなんだからね」

美里とも同じ大学のゼミであった。仲のいいグループがあり、一年生の頃はたいていいつも一緒であったが、そこから兼一と美里のカップルがいつのまにか脱《ぬ》け出したのである。やがて二人は公然のカップルとなり、卒業時には婚約をしていた。

そんな二人だったから、結婚披露宴は皆で押しかけたものだ。青山のレストランで行なわれたパーティーが、いつのまにか同窓会のようになったのを憶えている。白いウエディングドレスを着た美里は大層美しく、同級生の中ではいちばん早い結婚であった。それなのに、今度はいちばん早く離婚する女になろうとしている。美季子はそのことが許せないと思った。

「いい、絶対に別れちゃ駄目よ。あっちが子どもっていうカードを出してきたからって、びくついちゃこっちの負けなんだからね」

「だけど、兼一はどうしても子どもが欲しいって言ってるのよ。男の子が生まれたら、サッカーを教えるっていうのがあの人の夢だったから」

と美里が淋し気に微笑んだのを、美季子は昨日のように憶えている。そして美里があっさりと引き退《さ》がったのを、どれほど口惜《くや》しく見ていただろうか。地方の公立から有名大学に進んだ自分と違って、美里は東京のお嬢さま学校出身である。キャンパスではこのタイプの女子学生がかなりいた。附属の女子大に進まずに、共学の大学を受験してやってきた彼女たちは、たいていが都会の裕福な娘たちだ。性格はおっとりしているが成績はいい。そして高価なバッグや洋服をさりげなく着こなしていた。彼女たちと自分とは、決して交わることがないと思っていたのに、なぜか美里とだけは仲よくなった。品よくやさしげに見えて、一本しんの通った性格が好きだった。それなのに美里は、この夫の不実な一件に関して弱腰なのだ。この理由を後で美季子は知ることになるが、あの頃は彼女のことをどれほど歯がゆく見つめていたことだろう。

その思いが兼一に向いて、しばらくは連絡もしなかった。彼が再婚したと聞いた時は、

「もし披露パーティーすると言っても、絶対に行っちゃだめよ」

と友人たちに電話したぐらいだ。

それなのにひょんなことから、また兼一と会うようになったのは二年前のことだ。ミズホテレビを退職し、民放のキャスターとして成功した先輩がエッセイ集を出すことになった。その出版記念パーティーの会場で、久しぶりに兼一に出会った。

「元気してたか」

「相変わらずよ」

わだかまりがあったといっても、学生時代の友人というのはいいもので、すぐに昨日別れたような口調になった。それから一ヶ月か二ヶ月に一度の割合で兼一から電話がかかってくる。編集者という職業柄、おいしい店をよく知っていて、そこでご馳走してくれる。かなり

贅沢にだ。

そんなことをする理由はすぐにわかった。兼一は自分から美里の近況を聞きたいのだ。それがはっきりしてからは、もう会うことに何の躊躇《ちゅうちょ》もない。最初の頃は、兼一と会うことは美里への裏切りのような気がしていたけれども、今は堂々と名目が出来たのだ。

その夜、兼一が連れていってくれたのは、青山の根津美術館の裏手にある、まるで隠れ家のような日本料理店であった。まだ五月の終わりだというのに、じっとりと汗ばんでくるほどの暑さに、やはり地球温暖化は深刻だなと、席に着くなり兼一は言った。

「このあいだうちでさ、温暖化ハンドブックっていう本を出したんだ。地味だからそんなに売れるはずないと思ってたら、これが結構なヒットで、やっぱりみんな考えてんだよなあ」

兼一は早くも麻混のジャケットを着ている。いかにもマスコミで働く人間らしくネクタイをしていない。けれども彼はやはり美季子の働くテレビ業界の男たちとはまるで違っていた。同じマスコミで働く人種なのに、活字の人間と映像の人間というのは、別の人々だ。どちらかといえばハイテンションで楽し気なテレビの人に比べ、活字の人間というのは、どこか暗く淀んでいるところがある。どれほど明るく軽い男であっても、なぜか淋し気に見えるのはなぜだろう。

兼一もそうだ。不思議なことに彼が幸せそうに見えたことは一度もない。妻と別れてまで手に入れたかった女と暮らし、可愛い娘まで授かったというのに、兼一の翳《かげ》はどうしたことだろう。

「さあ、これを冷やしてもらっといたから飲もうよ」

マスコミの男の例に漏れず、兼一もワインを飲むようになった。この店は持ち込みが出来るそうで、カリフォルニアの赤を持参していた。なかなか手に入らないカルトワインだという。

「インターネットで手に入れたんだけどさ、かなりいい値段したよ。たぶんミキちゃんの好きな味じゃないかなあと思って持ってきたんだ」

「あ、これ、見たことある」

兼一よりもワイン歴の長い美季子が歓声をあげた。

「このあいだのワイン会で、お金持ちのお医者さんが持ってきてたの。なかなか手に入らないって自慢してたわ」

「ミキちゃんのワイン会は豪勢みたいだな」

「そうね、男の人はお金持ってる人ばっかりだわ。女の方は私とかCA、それから電通のコね。こんなお婆さんでもさ、女子アナっていうことで、結構お誘いはあるのよ」

「おい、おい、四十二で婆さんかよ」

「そりゃあ、ふつうの世界じゃ、四十二は若いわ、女盛りってことでちやほやしてくれる。だけど私たちの業界はねえ……なにしろ三十歳定年説っていう言葉が生きてる世界だからね」

美季子はワインを口に含む。確かにタンニンのきいた味は、美季子の好きなものだ。兼一のこういうさりげない気遣いが嬉しかった。兼一には昔からそういうところがある。自分を強く主張したり、前に出ていく性格ではないのだが、必要な時にはきちんとそこにいて、必要なことをしてくれる。担任の教授が彼のことをとても可愛がっていて、もしかすると大学院に残るのではという噂もあったぐらいだ。

「ねえ、ケンちゃん、私たちも出世したもんだと思わない。こんな店でさ、高いワイン飲んじゃったりしてさ」

「ああ、そうだ、そうだ」

「昔なんかさァ、居酒屋専門だったもんね。焼酎が流行《はや》るずっと前からさ、私たち安いからって、焼酎一本槍だったよね」

「だけどさ、あの頃はバブルがまだ続いていて、君たち女の子は、かなりいい思いをしてたんじゃないか」

「そうだね、うちの学校、一応ブランドネームがあったからさ、どこ行ってもちやほやされたかも。いや、あの頃は女子大生っていうだけで、どこへ行っても大変だったよね。誰かの知り合いの知り合いのおじさんたちが、うちの大学の女の子と飲みたい、って言うわけ。それで私たちが駆り出されてさ、すっごいフレンチご馳走になって、帰りに封筒渡されて、中に三万円とか五万円入っててんの。とんでもない時代だったかもね」

「だけどお前らえらいよ。おじさんと遊んでても、貧乏なオレたち同級生のことをちゃんと憶えていてくれたもんな。ちゃんとつき合ってくれたしな」

「そりゃ、そうだよ。あのままふわふわ飛んでっちゃったとしたら、よっぽどアホな女だよ」

またグラスを手にしながら、この頃自分たちは少し思い出話が多過ぎると、美季子は考える。前はそうではなかった。兼一と会うと、相手の陣地にせめていくような速さと熱を持って、自分たちの仕事について話した。自分がいま、どんなことに夢中になっているか、どんなことに悩んでいるか、相手に聞いてもらおうと熱中した。ところが今は、ぽつりぽつりと昔のことばかり語り合うのだ。相手に切り込んでいったゲームが、いつのまにか自分の中へと進んでいくゲームになっていく。このゲームでは、どれだけ価値のある思い出話を持っているかが鍵だ。

「私なんかさ、地方出の暗いコだったから、六本木デビューも遅かったわ。でもデビューの頃がバブルとぶつかったからよかったのかもしれない。もうハチャメチャな時代だったから、私もそう劣等感を持たなくてもよかったのよ」

「俺さ、ミキちゃんが、その劣等感を持っていたっていうのが、どうにも信じられないんだよな」

兼一の目に、二十歳の美季子が甦《よみがえ》る。黒く長い髪、そして黒いTシャツ、黒いスリムパンツといういでたちは、華やかなキャンパスの中で人目をひいた。ちょうど第二次か第三次のブランドブームが起こった頃だ。他のクラスメイトたちは、こぞってルイ・ヴィトンやシャネルのバッグを手にしていた。中には母親から譲り受けたというエルメスを持ってきている金持ちの娘もいる。その子はアライアの服を学校に着てくるのでも有名であった。体にぴったりとした、そのままディスコに行けるような服だ。

恋人の美里といえば、肩パッドの大きなジャケットに、かなり濃い化粧をしていた。あの頃、まわりの女の子たちは、太い眉と赤い唇という、かなりきついメイクを好んでいたようだ。

そんな中にあって、美季子の黒ずくめの服は大層目立った。ある日、美季子が嬉しそうに言ったのを憶えている。

「バイトのお金が入ったので、コム・デ・ギャルソンのワンピースを買ったのよ」

当時あの大学でコム・デ・ギャルソンを着る女の子など、美季子ひとりだったろう。とんでもなくとがった女が着る、という思い込みがあったのだ。

その美季子がミズホテレビのアナウンサーになると聞いた時、それこそみんな驚きの声をあげたものだ。

「ウソーッ」

「信じられない」

今ほどではないといっても、当時からアナウンサー試験は難関中の難関である。そしてアナウンサーといえば、誰にでも好かれるタイプの美女で、テレビの中でいつもにっこり微笑んでいるというイメージがあった。それは美季子とはかなりかけ離れたものではないか。

美季子はすらりとした長身であったが、誰が見ても美人、という女ではなかった。目と口が大き過ぎる、という男子学生が何人かいた。つまり可憐といった印象ではないのだ。それに加えて、美季子はあまり愛想がよくない。自分の友だちは、兼一を含めてごく少数と決めて、他の者とはそう親しくすることもなかった。その美季子がアナウンサーになる。不特定多数の人間に向けて媚びる仕事に就くというのだ。

「だけど私はアナウンサーになるんじゃないもの」

あの時、美季子はきっぱりと言ったものだ。

「私、キャスターになるのよ。宮崎緑みたいに、おじさんの横にいる女じゃない。メインのキャスターになるの」

あれから二十年の歳月がたったなんて嘘みたいだと兼一は思う。目の前にいる美季子はやっぱり綺麗だ。昔と同じように、髪をボブにしているけれども、それには艶があった。目のまわりに、あるかないかわからないくらいの細い皺《しわ》もあるけれども、それもとてもいい感じだ。

「四十二歳の女って、こんな顔をしているんだ」

兼一はそれと別れた妻とを重ねる。美里も四十二歳。自分と同い齢《どし》だ。同級生だった。十八歳の時に出会って、同じように年を重ねてきた。そしてこのまま中年になり、老人になるはずだった。それを自らの手で断ち切ってしまったのは七年前のことだ。

今の妻、多恵《たえ》は三十三歳になる。肌はぴんと張ってみずみずしかった、子どもがいるからたいした手入れは出来ていないが、朝起きぬけの素肌も透きとおるように美しい。かつてそういうものにとても価値を感じていたことがある。二人でつらい恋をしていた時だ。あの頃二十代だった多恵の肉体は、どこを押してもピンとはねかえる果実のようだった。それをどんなことをしても独占したいと思っていた。自分のあの狂おしい感情は、いったい何だったのだろうか。

兼一は、かすかに皺の出始めた美季子の顔を凝視する。そこに懐かしく、温かいものがあるのだ。

「いやあね、何よ。おばさんの顔、さっきからジロジロ見ちゃってさ」

「いや、同窓生って本当にいいなあと思って」

彼はあわてて誤魔化した。そしてそれを口にしたとたん、そのことがとてつもない真実のように思われた。

久しぶりに会った、かつての同級生と別れがたく、食事の後、ワインバーへ寄り、結局家に帰ったのは十二時近くなってからだ。

兼一はオートロックのマンションのエレベーターに乗る。新築の建物特有の、鼻につんとくるにおいがした。まさか塗料のにおいじゃないだろうなと、七歳の娘を持つ兼一はいつも嫌な気分になる。このマンションに引越してきたのは今年の春のことだ。隅田川に面した百平方メートルの新築のマンションは、妻の多恵が決めてきたものだ。小学生になった娘にどうしても個室を与えたい、という妻の気持ちに異論を唱えるつもりはないが、もう少し狭くてもよかったかなと思う。おかげで毎月の家賃は、かなりの負担になっている。

部屋のドアを開けると、多恵はまだ起きていて、アメリカドラマのＤＶＤを見ていた。

「これ、ＴＳＵＴＡＹＡに明日、返さなきゃいけないのよ」

多恵のいいところは、だらしなく見えるからといって、寝るまでは決してパジャマを着ないところだ。今もＴシャツに、ふんわりとした綿のスカートをはいている。娘と一緒に風呂に入っているから当然素顔だ。湯上がりの肌は美しく、シミや弛《たる》みひとつない。唇も赤くいきいきとしている。

兼一は、さっき別れたばかりの美季子の顔を思い出した。が、不思議なことに、四十二歳の彼女に、決して衰えた印象がなかったことに気づく。目の前の若い妻も美しいが、同級生の女も美しかった。それはまるで、今日いち日が祝福されているようなものではないだろうか。

けれども兼一のそんな気分は長続きしなかった。多恵はダイニングテーブルの上のファイルを指さす。

「あ、ケンちゃん、それ見といてね」

多恵は恋愛当時から、夫をそんな風に呼んだ。

「何、これ」

「ハナの夏期講習の書類」

ひとり娘の華子《はなこ》は、近くの区立小学校に通っている。入学して一年で転校は可哀想だからと、同じ学区内になるマンションを探したのだ。おかげで仲のいい友人とも別れることなく、楽しそうに毎日学校に通っている。それはいいとしても、少しのんびりし過ぎる。今年はどこかのサマースクールに通わせたいと言い出したのは多恵の方であるが、まさか学習塾の夏期講習とは思わなかった。

「えー、二週間コースで十八万円！　冗談だろ。だいいちハナは、まだ二年生なんだぜ」

「だけどそこに、二年生コースってちゃんとあるじゃないの」

体はテレビの方を向けたままで言う。

「あったってふつうじゃないよ。どうして小学校二年生で、中学入試特訓コース受けなきゃいけないいんだよ」

「ねえ、聞いて」

多恵はテレビを消した。性根を入れてとことん話す、という風にこちらを向き、姿勢を正す。

「ちゃんと話したかったんだけど、ケンちゃん、この頃帰り遅いし、土日も作家さんのサイン会だ、取材だって、どこかへ行っちゃうし」

「仕方ないだろ。今は新刊がたて続けに出てて、本当に忙しいんだ」

さっきバーのカウンターで触れ合った、美季子の二の腕の感触が甦る。手を握ったことさえないのに、むき出しの肩に何度も触れることがある。やわらかい脂肪のクッションがついた大人の女の腕。あれはどうしてあんなに火照《ほて》っているんだろうか。別に悪いことは何ひとつしていないしするつもりもない。こんなことは嘘をついている内にも入らないと、兼一は少し声が大きくなる。

「君も知ってるはずだろ。僕たちの仕事はプライベートの区別もなくって、本当にだらだらと忙しいんだ」

「わかってるわよ。だからコマギレでも、ちゃんと話しようと思ってるわけ」

めんどうくさいことは一気に解決しようとでもするように、多恵は手をひらひらと振る。

「中学受験っていうのは、小二の夏から始まるって言われてるのよ。五年六年になってからじゃもう手遅れなの。それにね、私、いろいろ調べたのよ。今ね、びっくりするような名門小学校でも編入試験っていうのがあるの。小学校四年生の時に特別枠で入れるのよ。もちろんひとりかふたりっていう数なんだけど。私、中学受験の前に、ハナにこれに挑戦させたいと思っているの」

「やめてくれよ……」

どっと酔いと疲れがまわってきて、兼一はテーブルに肘をついた。

「あのさ、こんなご時世だから、中学も公立行けとは言わないよ。中学受験だって仕方ないことだと思ってる。だけどさ、七歳の女の子に今から受験勉強させるなんてぞっとしないね。ハナなんか、今もぬいぐるみ離さないコじゃないか」

「じゃ、小学校受験した子どもはどうなのよ。幼稚園受験してる子どもはどうなの。みんなおむつを取れないぐらいの頃から、いろんな塾をかけもちしてるのよ」

「そういう人はそういう人だ。うちはサラリーマンの子どもなんだ。私立へ行きたかったら、自分の力で勉強させて中学から入る。それで充分だと思うよ」

「あなたって、何もわかってないのよね」

多恵の目は大きい。アーモンドアイズとでも言うのだろうか、虹彩がやや茶色がかっていて丸く大きく、目尻のところにきてきゅっと上がっている。その目が怒りを持つと、さらに上がる。木の実のような目は、はるかに硬いものに変わっていく。

「ハナの幼稚園、半分以上は小学校受験をしてたのよ。今どきの東京のふつうのうちの子はそうよ。名前初めて聞くような小学校にも進学させるの。それでも公立に行かせるよりはずっといいんですって。だけどうちは、ハナを私立に行かせることが出来なかった。ここだって賃貸よね。なぜだかわかる？　あなたの元の奥さんに、毎月ものすごい額のお金を送らなきゃいけないからじゃないの。十年間も、十年間もよッ」

多恵の言葉で思い出した。十年間という約束の慰謝料が、あと三年間で終わるということをだ。

「仲よしのママに言われるの。ご主人、あんな有名な出版社だったら、お給料いいんでしょう。ボーナスすごいって新聞に出てたわって。でもとても言えやしない。お給料は確かにいいけど、前の奥さんに送るお金で年がら年中ピイピイしてるって。子どもをとても私立にも行かせられないって……」

身勝手といえば、これほど身勝手な理屈はなかった。七年前、多恵のために兼一は妻を捨てた。美里の方はその気がなかったが、彼女の両親が怒りのために弁護士を立ててきた。誠意をきちんと尽くせというのだ。兼一は家を買うために貯金してきたものの大半を美里に渡しただけでなく、十年間、慰謝料を送り続けることも約束したのだ。美里との間には子どもがいなかったからそこまですることはないと兼一の両親は言った。最初は息子の不倫に怒りをあらわにした両親も、初孫がもうじき生まれるという喜びにころりと態度を変えたのだ。

「そりゃあ、美里さんには出来る限りのことをしてあげなきゃいけないけれども、あなたたちも新しい生活を始めなきゃいけないんだからねえ……」

という母の言葉に、かえって兼一はつくづく自分の罪の大きさを知ったのだ。だからその罪を償うために、世間の相場よりもはるかに多額なものを別れた妻に払い続けてきた。そして多恵もそのことに納得したはずではなかったか。

「奥さんには本当に悪いと思うけど、私、どうしてもケンちゃんと結婚したい。ちゃんと子どもを産みたい。そのためだったらどんなことだってするつもりよ」

多恵にしても、自分のしてしまったこと、そしてこれから得ようとするものの大きさにおののいていたはずだ。そしてその代償の大きさは当然と思っていたはずなのに、七年という歳月が、彼女を変えた。自分が得たもの、夫と子どもがいる日々が日常になっていくにつれ、代償の多寡が気になって仕方ないのだ。

「ねえ、あっちと話をつけるわけにいかないの」

「どういう話だ」

「だってそうでしょう。美里さん、ひとりで働いているんでしょう。だったらどうして、毎月うちからがっぽり取っていくのよ」

多恵は「うち」と「がっぽり」という単語を力を込めて発音した。

「ケンちゃんから一度頼んだっていいと思うの。うちは今、とっても大変な時だって。子どもの教育費はかかるし、そろそろ家も買いたい。それなのに毎月の仕送りがあるばっかりに、ふつうのサラリーマン以下の暮らしをしている。もう七年間も送ってきて、ちゃんとした誠意を見せてきたつもりだ。もうこのあたりで打ち切りにしてもらえないだろうか、って言えば済むことでしょう」

むらむらと怒りがこみ上げてきた。それは妻に対して、というよりも、自分に向けられた怒りだ。心の中でそんなことを考えたことは一度もないと言ったら嘘になる。その時、密《ひそ》かに反すうしていた言葉を、はっきり口にする妻も、自分のことも憎いと思った。

「そんなこと言えるわけないだろ。いったいお前は何を考えてるんだ」

多恵を睨みつけた。もう少しで右手が動きそうだ。この女を殴りたくてたまらない。ああ、自分はいったい何をしているのだろうかと思う。

「何よっ、そんなに怒らなくたっていいでしょう。何よ、あなたっていつもそうじゃないの。別れた奥さんのことになるとやたらムキになって。こんなに気とお金を遣わなきゃならない、こっちの身にもなってほしいわ」

「うるさい」

もうこれ以上何か言われると、自分は本当に妻を殴ってしまいそうだ。

いろいろな場面が、デジタルカメラの確認モードのように甦る。

「ちゃんとこの子を産めたら、私、何もいらない。本当に何もいらないのよ」

自分の腹に手をあてて、じっと涙ぐんでいた多恵。

「私がいけないの。奥さんがいる人を好きになったから。全部自分のせいなの。だから私、ちゃんと罰を受けるつもりよ、本当よ」

あの時、お前がどんなことを言ったか、どれほどしおらしく泣いたか、ひとつひとつ言ってみようか。兼一は喉まで出かかるが、そんなことが出来るわけがない。いったん言葉に出したら、どんな騒ぎになるかわかっている。

日常の小さな夫婦喧嘩を何度か繰り返した結果、若い妻のエネルギーにはついていけない、ということがつくづくわかった。いったん腹を立てようものなら、多恵は一ヶ月近く口をきかない。この女の嫌味を徐々になだめ、日常生活に持っていくことの、徒労といったらどうだろう。心と体がつくづく消耗していくのだ。

今ここで、自分が本当のことを口にしたらどうなのか。兼一はそんなに疲れることをしたくなかった。明日は朝早くから接待ゴルフだった。別の方向に話をまとめることにする。

「男がいったん約束したら、途中でやめることが出来るはずはないだろう。別れた女房の慰謝料ぐらい、どんな苦労しても払うのが男だろう」

「ヘンな言い方。古くさいおじさんみたいな言い方しちゃって。どうなってんのよ」

多恵はふんと鼻を鳴らしたが、とにかく今日はこれで済んだ。

同じテレビ局の中にあり、器材も場所も同じだというのに、BSのスタジオはひっそりとしている。それはスタッフが少ないためだろう。

美季子は時々、十年以上前にレギュラーで出ていたバラエティ番組を思い出す。人気のある番組だったので、それに携わる人々の多さといったらなかった。コントのために、小道具のスタッフも何人も待機していたし、タレントそれぞれにマネージャーがいる。本番前に右往左往するアシスタント・ディレクターたち。副調整室から指示があり、照明さんが動く、カメラマンが位置を変えていく。その合い間に、メイクさんがさっと入り、女性のタレントたちの頬にパフを叩いていく。自社のアナウンサーのところに来てくれるのは最後だ。

あの頃、どうして自分がバラエティ番組に出ていたのかよくわからない。もちろんプロデューサーの要請があったからであるが、五年以上も報道番組のキャスターをやっていた自分に声がかかったのは今でも不思議だ。

「美季子ちゃんって、あの番組のせいでクールでインテリ、っていうイメージがあるだろう。だからそれをぶっ壊してみるのも面白いかなあと思って」

世の中は女子アナブームのまっただ中だった。他局のことであるが、美貌の女性アナウンサーたちが芸能人のように扱われただけでなく、彼女たちは次々と有名人と結婚していった。

ミズホテレビもその渦から逃れることも出来ず、若く人気のある女性アナウンサーたちにグループを組ませ、レコードデビューまでさせたのである。

「会社はいったい何を考えているんだろう」

という声もあることはあったが、たいていのプロデューサーはこの流れにのったのではないだろうか。人気はアイドル並みにあって、そしてギャラはいらない。自分の局のアナウンサーをバラエティの司会に次々と起用し始めた。

といっても、あの頃美季子は三十歳になろうとしていたから、そういうアイドル路線にのれるはずもなかったのだが。

「そこがいいんだよ。美季子ちゃんのしっとり落ち着いたところが、マモルさんと相性ぴったりだと思うよ」

マモルというのは、メインの司会をする大物のコメディアンである。毒舌とすっとぼけた発言とで人気があるが、番組を仕切ることには慣れていない。プロデューサーの腹づもりとしては、美季子を女房役にし、マモルをうまく制してもらおうとしたらしい。

この意図は必ずしも成功したとはいえないだろう。したたかな芸人であるマモルは、美季子をいびることを計算に入れ始めたのである。

「この嫁《い》かず後家」

が、やがて彼の口癖になった。

「ひどーい、マモルさん、私、まだ三十歳になったばっかりですよ」

と美季子もアドリブで返すと、

「何言ってんだ、女子アナの三十といえば、五十のババアと同じことじゃねえか」

とマモルが言い、スタジオの客からどっと笑いが起こる。

母からしょっちゅう電話がかかってきた。

「タレントでもないミキちゃんが、どうしてあんなめにあうの。あなたはアナウンサーなのよ。上の人に言って、すぐにやめさせてもらいなさい」

別に仕事だと割り切れば、どうということもない。何よりも格段に知名度が上がった。自分の名が週刊誌の見出しになることも増えたし、取材も多かった。

うがった見方をする仲間からもこんなことを言われた。

「このバラエティの司会って、美季子ちゃんがフリーになりやすいようにって、会社が考えてくれた花道なんじゃないの」

確かにあの時が、自分のピークだったかもしれない。報道番組のキャスターをしていた、インテリと見られている女性アナウンサーが、突然バラエティへ転身したのだ。そしてそれを結構器用にこなしていく。

「柳沢《やなぎさわ》美季子アナの、新しい魅力発見。案外お茶目でかわいい」

と書いてくれた雑誌もあれば、

「三十歳の女子アナは、あんなことまでするのかと思うと痛々しい」

と酷評する女性誌もあったが、とにかく美季子はミズホテレビきっての人気アナウンサーになったのは事実なのだ。

うちに来ないか、というプロダクションの誘いがあったのもその頃である。さまざまな条件を提示してくれた。それによると収入は、OLをしている時のざっと五倍になる。

けれども結局美季子は、局にとどまることにした。理由はただひとつ、とても臆病だったからだ。

あなただったら仕事はいくらでもある。現に他局からも、レギュラーをひとつ任せたい、という打診があるのだ、とプロダクションの幹部は言ったものである。けれども美季子はそれを素直にとることが出来なかった。

局をやめてフリーになった先輩アナウンサーを何人も見ている。華やかな活躍をしている者などひと握りだ。たいていがどこかのプロダクションに所属し、かなり多額のマネージメント料を取られたうえに、持ってきてくれる仕事といえば、イベントの司会や、通販番組といった類《たぐい》のものだ。「元ミズホテレビアナウンサー」という肩書きで、結婚披露宴の司会を専門にしている者もいる。

そこへいくと、局のアナウンサーでいる限り仕事は途切れることはないだろう。たとえ地味な仕事になったとしても、収入は定年まで保証してくれる。実はOLといっても、アナウンサーの給与は信じられないほどの額であった。とても大学の同級生には正直に言えぬほどだ。テレビ局の給与がいいところにもってきて、アナウンサーは時間外手当てや早朝手当てがつく。レギュラー番組を何本も持つ売れっ子だと、月末には信じられないほどの大金が、銀行口座に振り込まれることになる。

早朝ならば、タクシーでなくハイヤーが自宅に迎えに来てくれる。番組専属のスタイリストもついていて、化粧は局のメイクさんがやってくれる。当時美季子はそんなぬるま湯の中にいた。そしてそこから出てフリーになる決心がどうしてもつかなかったのだ。

結婚をしていれば事態は違っていただろうと思う。プロ野球選手や芸能人、といった高収入の男でなくても、同じ職場で働く男でよかった。夫の収入という保証があれば、自分はそう迷うことなくフリーになったはずだ。そうして安定と平穏の中で、よく吟味した仕事をし、子どもを産み育て、女性誌にエッセイのひとつも連載したりする。

この数年、そんな女性アナウンサーたちがとても増えた。自分よりもはるかに頭のいい勇気のある女たちだ。美季子が出来なかったことを軽々とやってのけ、そして家庭の幸福をも手にしているのである。

そして今、美季子はたったひとつのレギュラー番組である、BS番組の司会を終えようとしている最中だ。

「今月の『日本の匠と技』、いかがでしたか。来月は、徳島から和三盆の技に生きる方々にご登場いただきたいと思います、どうぞお楽しみに」

ADの男がOKのサインを送ってくる。が、すぐに席を立つわけにはいかない。副調整室での確認を待っている間、美季子は自分の声を反すうしていた。

年をとって低くなった分、自分の声はとてもやわらかく響くようになった。落ち着いたいい声だ。けれども現在のテレビ局に、この声は必要ないらしい。

「それではお知らせでーす。次いきます」

「もお、やめてくださいよ。ホントにもう」

訓練はされているけれども、若くトーンの高い声、これが皆が欲しがっているものなのだ。おそらく中年の女の声を大切にしてくれているのは、NHKだけであろう。

「はーい、OK、お疲れさまでした――」

ADを通して終了が告げられる。

「はーい、お疲れさまでした」

美季子は立ち上がった。まだ試行錯誤のミズホテレビのBSの、いわば実験的な番組だ。実験的なというよりも、とにかく枠があるので可能な限り金のかからないものを、という趣旨でつくられた番組で、全国の職人を訪ねたビデオで構成する。

BSの視聴率は調べるすべがないので出てこないが、おそらくミクロレベルの数字であろう。けれども、こんなささやかな仕事でもテレビに出られるだけ恵まれている。しかも〝顔出し〟といって、ちゃんと画面に出ることが出来るのだ。

「どうして美季子さん、フリーにならなかったんですか」

あれは昨年のことだ。仲のよかったアナウンサーたちが集まり、飲み会をした。同期が中心になり、その前後の女たちが集まったから、年齢も四十前後になる。その席に一年後輩の森山《もりやま》可奈《かな》がいた。在職中もそこそこ人気があったものの、決して花形アナウンサーとは言えなかった。ところがフリーになった彼女は幸運なことに、すぐに主婦向け番組の司会という仕事が舞い込んできた。どうやら彼女の所属したプロダクションに力があったらしい。

しかもさらに運のよかったことに、彼女は四年前に双児《ふたご》の男の子を出産した。主婦向け番組だから、出産は得にこそなれ、決して不利にはならない。おまけに彼女は高年齢出産ということになったから女性誌などでも話題になり、いつのまにか「働く女の星」のように崇められている。最近は子育ての講演も多いという。

「美季子さんなんか、私よりもずっと人気があったんだから、あの時、思いきってパッとフリーになればよかったのに」

あの言葉を彼女の自慢のようにとり、たいして気にもとめなかった。が、考えてみると、自分は大きなチャンスを逃した、ということなのだろうか。

いや、チャンスという言い方もおかしいかもしれない。選んだ道の向こうに、素晴らしい成功がある、と保証されていたわけでもなかったのだから。とにかく自分は臆病だったのだ。決断しなかったことを悔いてはいないけれども、自分が臆病なことをとても悔いている。結婚にしても、仕事にしてもすべてそうだった。

いけない、今日は昔のことばかり考えている。どうしてなのだろう、昨日、かつての同級生、兼一に会ったせいだ。そして大切なことを喋らなかった悔いが残っているからだ——。

美里が指定してきたのは、彼女の住んでいる私鉄の街にある、小さなイタリアンレストランであった。

ガラスの扉の前で、美季子はかなりとまどっている。今はめったに画面に出ることはないというものの、美季子の顔を憶えている者は多い。いつのまにかレストランでは、個室を取るのが癖になっている。自分だけではなく、若いアナウンサーにも指導していた。

「いい、絶対に個室でなけりゃ駄目。そうでなかったら、誰かの部屋で飲み食いしなさい」

半年前のことであるが、人気のアナウンサーたちが連れだって居酒屋で飲んでいるところを隠し撮りされ、写真週刊誌に載った。それによると彼女たちは酎ハイを次々と口にしながら、自分の恋人のことを惚気《のろけ》たり愚痴ったりしていたという。二十代の女性ならば誰でもする日常生活のひとコマであるが、人気女子アナとなればそうはいかない。近くのテーブルからずっと見張られていたのだ。

「この頃は近くに座っているシロウトさんでも、平気でマスコミに情報を売るから本当に怖いのよ。だから居酒屋なんか絶対に行っちゃいけないわ。そのためにあなたたち、ふつうのＯＬよりもずっといいお給料を貰っているんですからね」

自分のことを狙う写真週刊誌があるとは思えない。けれども顔が知られた自分が席に座ると、あたりの空気がそのとたん変わっていくのを美季子はいつも感じている。隠し撮りはしないまでも、まわりの人々は必ずといっていいほど聞き耳をたてる。だから美季子はこういう小体《こてい》の店が苦手だ。どうせ行くなら個室は無理としても、大人が行くもう少し豪華な店にしてほしかった。テーブルとテーブルとの間にたっぷりと空間がある店だ。

けれども美季子がその扉を押して入っていくと、すかさずウェイターが近寄ってきた。

「お連れさまがあちらでお待ちでございます」

ワインセラーの陰に、テーブル席がひとつだけあり、そこで美里が手を振っていた。

「こんなちっちゃいところでごめんね」

「そんなことないわよ。いかにもおいしそうじゃないの」

「青山か銀座にしようと思ったんだけど、そこまで出ていく元気がまだなくって」

「そりゃあそうよ。あれだけの手術をしたばかりなんだからさ」

一ヶ月前、美里は子宮癌《がん》の手術を受けた。幸い発見が早かったので、そう大ごとにはならなかった。上の方を少し切っただけなので担当の医師は、

「大丈夫、子どもを産むのにはさしつかえありませんよ」

と請け合ってくれたと、美里はおかしそうに話す。しかしこの手術で、美里が深いダメージを受けているのは確かだ。子宮癌にかかったのはこれが最初ではない。悪性のものが見つかったのは七年前のことだ。これは内視鏡で手術出来るものだったので、美里もそう悲観的に考えてはいなかった。

「子宮癌のこんな小さいのは、癌のうちに入らないんですって」

けれども七年後の今現れたものは、あきらかに「再発」ということになる。体の奥の方で癌になる要素が、密かにはびこっていたということらしい。

だから美里の顔は、決して晴れやかではなかった。美季子は久しぶりに会った同級生の顔を見る。病み上がりのせいもあるが、かすかな老いの気配が美里を哀し気に見せていた。清らかな哀しさとでもいうのだろうか。白い透きとおる肌が、弾力を失う直前のやわらかさを

持っている。笑うと、口の両脇に爪でひっかいたような皺が刻まれている。

　同級生の中でも、美里は美人で有名であった。キャンパスの中で出会った時、東京にはこういう女の子がいるのだと、美季子はつくづく思ったことがある。地方出身の自分と違って、都内でも有数のお嬢さま学校を卒業している美里は、着ているものも垢ぬけていた。他のグループにはブランド品で固めていた女の子たちがいたがそういうのとも違う。上質で品のいいものをさらりと着ているのだ。彼女の父親は、祖父の代からの医療機器の輸入会社をしているとかで、九品仏《くほんぶつ》にある実家も大層大きかった。すべてがおっとりとしていて、性的にも遅れていると思っていた美里が、兼一とつき合うようになってから大胆になった、というのはみんなが言うことである。

　今日びの学生とは違うから、あの頃、初体験は大学に入ってからで、その相手が恋人になるというケースがほとんどだ。グループから早々と「イチ抜けた」をした兼一と美里は、よく美季子をアリバイに使った。兼一のアパートに泊まる時は、美季子はわざわざ美里の家に電話をかけたものだ。

「あ、おばさま、お土産ありがとうございます。今日も美里、うちに泊めるので……。ええ、すごく遅くなるので……。いえいえ迷惑なんてとんでもない」

　その後、美季子は美里から、やけになまなましい話を聞くことになる。決して自慢や惚気というのでなく、生来の生まじめさから美里は、兼一とのセックスを淡々と話すのだ。

「私とケンちゃんって、どうもタイミングがずれるみたいなの。彼がとっても早過ぎてついていけない時もあるし、私があっという間にいってしまうこともある。二人とも同時にいきたいって、いろいろ研究するんだけどどうもうまくいかないわ。ねえ、ミキコはどう思う」

どう思う、と問われてもまだ処女だった美季子に答えられるはずはない。美季子が初体験を済ませたのは、大学三年生の春休みで、相手は三十代のサラリーマンであった。

それほど好きだったわけでもないが、初めての相手は学生ではない方がいいという美季子の願望と一致した。

それにしてもあの頃、美季子は無知のまま、友人の性の悩みをどれほど聞いてやっただろうか。そして最後には、まるで経験を積んだ年上の女のように、こう言ったものだ。

「とにかく子どもだけは気をつけてよね。学生で腹ボテって、ちょっと恥ずかしくない？」

そして美季子のその忠告は、後に皮肉な結果を迎えることになる。

メニューが決まり、ワインリストが運ばれてきた。

「ミキちゃん、お願い」

「わかった。女二人だからそんなに飲まないよね。白はグラスでもらって、赤を一本頼もうか……」

美季子がワインの文字を追っている最中、美里は重要なことを打ち明ける。

「七年前に、最初のアレが見つかったでしょう。もしかすると、アレってね、不妊治療の薬のせいかもしれない。先生ははっきりとおっしゃらないけど、インターネットには出てるわ。不妊治療のきつい薬って、子宮癌や乳癌の原因になることが多いって。あの頃私も、これで副作用が起こらないはずないなアってずうっと思ってたわ。排卵促進するために、痛い注射をお尻に打ったり、毎日何錠も薬飲んで吐き気したこともあるわ。今思えばああいうのって、本当に体に悪かったんだわねえ」

「もういいわよ、そんなの……、ねえ、このトスカーナ、おいしそう。値段も安いし、これ頼んでみようか」

美季子は気分を変えるために明るい声を上げる。

「とにかくさ、手術はうまくいったんだし、今夜は祝杯ってことで、ガンガン飲もうよ」

「ありがとう……」

そうはいうものの、最初のスプマンテも美里は一杯飲み干すことが出来なかった。やがて彼女は、いちばん聞きたかっただろうことを口にする。

「ねえ、ケンちゃんに時々会ってるんでしょ」

「会ってるよ。本当に時々だけどね」

「あの、あのこと、言ってないよね」

「あのことって？」

わざと白ばくれる。そうすることによって、さほど重要なことではないと伝えたかった。

「だから、私が手術したことよ……」

「あ、言ってない。だって今どき、子宮癌の手術なんてどうっていうこともないじゃない。それにさ、あっちに余計な心配させたくないしさ」

「心配してくれるかしら」

上目遣いになった美里の顔を、本当に愛らしいと思った。痩せた分、いろんなものが削ぎ落とされて、まるで少女のような表情になる時がある。こういう相手には、ひたすら優しくするしかない。

「そりゃあ、心配するでしょう。だってケンちゃん、今だって美里のことをすごく気にしてるもん。ものすごく気にかけて、何かの時はまっ先に駆けつけてくれると思うよ」

「ああ、よかった……」

美里は深いため息をつく。

「あのね、手術の時、身内が立ち会うんだけど、私の場合は妹が来てくれたの。知ってのとおり、父は亡くなっちゃったし、母は老け込んで脚が悪いでしょう。立ち会ってくれるのは妹しかいないの。四十二になって家族がいないってこういうことよね。死ぬかもしれない時に、夫や子どもがいないって、本当につらいことだなあって、私つくづく思っちゃった」

「じゃあ私、頑張って夫だけは確保しなくっちゃね」

美季子はふざけて言った。

「あら、ミキちゃんだったら、きっと子どもも産めるわよ。今から頑張れば、本当」

「やめてよ。四十二よ。そんなことあるわけないじゃないの」

「そんなことわからないわよ。この頃、四十五や六で初産っていう人も結構いるしさ」

「そういう人って、とび抜けた体力を持ってる人だと思うわ。私にはとっても無理よね」

「ミキちゃんなら出来るってば。だってあなた、すっごく若くて綺麗だもの。年とってから、ますます綺麗になってるわ。本当よ」

「それはさ、多少は人に見られる商売だからじゃないの」

「ううん、そればっかりじゃない。ミキちゃん見てると、社会の第一線に立ってる人ってこんな風にキラキラしてるんだって、私いつも羨《うらやま》しくてたまらない。私みたいな派遣のおばさんなんかと、まるっきり違うんだもの」

歳月は残酷なもので、良家のお嬢さまを、今は職に就いていない中年前期の女にしている。実家の事業も妹夫婦が継いだものの、業績がふるわず、縮小につぐ縮小だと聞いている。当然実家からの援助は望むべくもなく、美里は派遣社員となった。英語とフランス語が多少出来るといっても、四十二歳の女が、世間で優遇されるはずもない。

「ケンちゃんからの月々のお金がなかったら、どうなっていたかわからない」

と美里は正直に言う。

「だけどさ、やっぱり癌はショックだったな。私はついていない人間だって、かなり落ち込んだの。世の中にはミキちゃんみたいにバリバリやってる人だっている。四十二歳は、今じゃ女盛りとかいわれて、本当に若くて綺麗な人だっていっぱいいるわ。それなのに私は、同じ四十二歳でも癌になってベッドに寝かされてると思うと、やっぱりちょっとめげちゃったなア……」

「なったものは仕方ないよ」

美季子は白ワインを半分ほどひと息に飲んだ。

「私ねえ、もうそう思うことにしてるの。私の職場って、おそらく若くなくなることがいちばんダメージになるところだと思う。ふつうの職場なら、年をとって経験を積んでいくのはプラスになる。もちろんある程度って限界があるけどもね。だけどアナウンサーは違うの。若くなければ価値がないの。ひと頃のCAやホステスさんも、こんなにはひどくなかったと思うわ。美里はどう思ってるか知らないけど、今の私にはもうほとんど仕事がないの。一線になんかいやしない。だけど私思うわ。年とったもんは仕方ない。もうじたばたするのはみっともないって、自分に言いきかせている」

「私はまだそこまで割り切れないなア……」

美里はかすかに笑って目を伏せる。そのしぐさはドキッとするほど色っぽいが、本人は全く気づいていないに違いない。

「美里の病気も同じだと思う。そりゃあ、本人にしたらつらくてたまらないだろうけれども、考え方だわ。摘出手術したわけでもないし、チャッチャッと切って終わりだったんでしょう。そして美里は元気になってお酒を飲んでる。ねえ、手に入れなかったものをぐずぐず考えても仕方ないよ。今、持っているものを大切にしようよ。私と美里、こうして元気でさ、二人とも結構若くて美人の方で、結構高いワイン飲んでる、さあ、乾杯しようよ」

女と飲むのは何て楽しいんだろう。美季子は帰ってくるなり、ソファに身を投げ出してつくづく思った。

男と二人きりで食事をしたり、酒を飲んだりすると、かなりの確率でそういったことをほのめかしてくる。まず彼らは尋ねるのだ。

「柳沢さんって恋人いるの？　いるよねぇ」

「いませんよ」

美季子はあっさりと答える。見栄っぱりの女だと「今は」などとつけ加えるのだろうが、美季子はそんなことはしない。本当のことだから、きっぱり「いない」と答える。するとそれを、男たちはとても都合のいいように解釈するようだ。やんわりと、あるいは単刀直入に口説いてくる。そんなことでいろいろ腹を立てる年でもない。ただ二つのことを思うだけだ。

それは、

「四十二の独身というと、それだけで同情を買い、隙を与えてしまうのだ」

ということ。そしてもうひとつは、

「これでまた男友だちを失ってしまう」

という失望である。気がつくと美季子のまわりには、同僚とワイン会のメンバーしかいない。参加しているワイン会は、金持ちの男たちと、本当に酒好きの男たちとで構成されている。ここは美季子にとってとてもくつろげる場所だ。なぜなら酒好きの男たちは、ワインの講釈に夢中になり、金持ちの男たちは法律で決められているかのように、若い女にしか興味を示さない。

そこで月に一度、好き放題飲みに飲む。金持ちの男たちが持ち寄る高価なワインを存分に飲む。それが今の美季子のいちばんの楽しみかもしれない。

「まあ、色気のなくなっちゃったこと……」

つぶやいてクスリと笑った。決して自嘲というのではない。さっき美里に言った、

「手に入れられなかったことを、くよくよしても仕方ない」

というのは、まるで自分のためにあるような言葉だなあと思ったからだ。

この部屋は八十平方メートルある。広々としたリビングからは、近くの駒沢公園の緑がよく見える。ここに遊びに来た者はたいてい言う。

「女ひとりにしては贅沢な広さだね」

広いのはあたり前だ。ここは男と二人で暮らしていたところなのだから。

正樹《まさき》は入社して二年めの営業職の男だった。出会ったのは社内の飲み会だ。誰かが連れてきたのだと思う。若い女子アナも出席する飲み会は、皆が来たがるために、かなりメンバーを厳選している。そこに若い正樹は出席していたのであるが、彼は人気のアナウンサーたちには見向きもしなかった。

「今日は柳沢さんも来るっていうんで、先輩に頼み込んでもぐり込ませてもらいました」

と笑う歯がかなり乱ぐい歯だ。今どきこんなに歯並びの悪い男も珍しい。アナウンサーの試験だったら、まっ先にはねられるだろう、というのが美季子の第一印象であった。

「柳沢さんって、テレビで見るよりずーっと綺麗ですよね。やあー、素敵ですよ」

テレビで見るよりもずっと綺麗、というのは、アナウンサーに対する常套句《じようとうく》であるが、それが素直に心に響いたのは、たぶんこの乱ぐい歯の屈託のない笑顔のせいだろうと美季子は後で思った。

正樹は言う。自分は高校生の頃から柳沢さんのファンだった。ニュースを読むきりっとしたアナウンサーを見るたび、なんていいんだろうとうっとりした。その後、バラエティで見かけるようになったけれども、イメージは変わらない。なんて頭のいい、綺麗な大人の女の人だろうかと憧れていたのだ。そして正樹の口調は、ファンとしての賛美から、男としての告白に変わっていった。

本当にあなたに憧れていたんだ。ミズホテレビに入社しようと頑張ったのも、いつかあなたに会えると思っていたからに違いない。本当にどうしようもないほど好きだ。僕は女の人をこんなに好きになったことはない。本当だ……。

美季子はその時三十四歳だった。例のバラエティ番組も終わり、他の仕事もめっきり減った。フリーにならないかという誘いはまだ続いていたが、どうしても決断が下せなかった。そんな迷いの時に、突然若い男が迫ってきたのだ。美季子はあの時、自分が持っていた勇気やエネルギーというものを、正樹を受け容れることに使ってしまったような気がする。

若い男との恋というのは、まず狂乱じみた輪の中に取り込まれていく。相手の「好きだ」「愛している」という攻勢に、ほとほと疲れてしまう。が、甘やかな疲れだ。心も肉体も若い男に責められ続ける楽しさは、美季子が今まで経験したことのないものであった。

すぐに結婚しようと正樹は言ったが、それを制止したのは、美季子の残っていた分別というものであったろう。

「いい、あなたは入社二年めなのよ。テレビの仕事っていうのは、二十三、四で結婚出来るほど甘いもんじゃない。どこの部署でもそうだと思うけど、しばらくはろくに眠らず、ご飯だって立ったまんま食べるような生活が続いてるはずよ。みんなそんな生活してる中、あなたが結婚、なんて言ったらみんなに笑われるはずよ。しかも相手は十歳年上の女なのよ」

わかった、とも正樹は言わず、いきなり美季子のマンションに押しかけてきた。1LDKの部屋は、正樹の持ってきた本とCDで溢れそうになり、美季子は悲鳴を上げた。二人で暮らすためのマンションを借りることは、自然のなりゆきであった。ところがいろいろ見ていくうちに、正樹はとんでもないことを言い出した。賃貸のところはどうしても気に入らない。いっそのこと新築のマンションを買おう。二人の共同名義にすれば、かなりの広さのものを買えるのではないか。

当時のテレビ局の初任給はかなりのものであった。その金額が、二十四歳の男に大胆なことを言わせているのだろうと美季子は思った。それにしても共同名義というのは無理な話だ。結婚していない男と女がそんなことをしたら、将来トラブルの種になるのは間違いない。

「何がトラブルなんだ。将来結婚するからいいだろう」

と正樹は激したが、美季子はそれを制した。

「ローンは私が払う。その代わり生活費はちゃんと折半しようよ」

別れる時、正樹は言ったものだ。君のああいう冷静なところが、耐えられなくなったような気がする。君は一緒に暮らしてもずうっとそうだったよ。いつもアドバイスと忠告ばっかりされていたような気がする。君のことは本当に好きだったけど、家に帰ってきてもずっとアドバイスされるのは、耐えられなかった。僕が何か考える前に、ミキちゃんが教えてくれるんだ。僕が何か求める前に、ミキちゃんがすかさずくれる。こういう関係って、やっぱり違うと思うんだ……。

別れから六年たつ。引越すことを考えたこともあるが、意地を張ってひとりローンを払い続けている。そして今は局ですれ違っても、正樹とふつうに話が出来るようになった。

「元気してるうー」

「何とか」

「じゃーね」

オッスという風に、正樹は笑って手を振る。彼の歯は白く輝いている。同棲してすぐの頃、美季子がやらせた歯の矯正がよかったのだ。そしてとても困ったことであるが、正樹は未だに独身である。仕事が忙し過ぎて相手を見つけられないのだそうだ。彼は今や営業のホープと言われ、大きな仕事を次々と成功させていると聞き、美季子は素直に嬉しかった。

今、この部屋には彼と暮らしていた頃のなごりは微塵《みじん》もない。インテリアもすべて美季子の趣味で揃えたからだ。

そしてたまに泊まりにやってくるような男もひとりもいない。淋しいからといって、つまらぬ恋をするのはやめようと、美季子は心に決めているのだ。

つまらぬ恋というものが、この世にあるかどうかわからないが、とにかく無意味な恋をしたくないと思った。自分に寄ってくる男というのは、百パーセント家庭がある男たちだ。四十二歳で独身で、しかも華やかな職業に就いている自分は、彼らにとって格好の相手に違いない。期限付きの恋愛を楽しむのに、これほど都合のいい女がいるだろうか。だから美季子は、男たちの誘いにはのらない。いつか自分から誘いたい男が現れるまでたぶん恋はしないだろう。恋をするのも、しないのも癖になる。たぶん、今自分はしないことが癖になっているのだと思う。

しかしこうしてひとりでいると手持ちぶさただ。淋しい、というのとは違う。時間と両手がぽっかりと空いてしまうと、美季子は困ってしまう。こういう時、たまに兼一に電話をしてしまうことがある。特に酔った夜がそうだ。時計を見る。午前十二時を過ぎていたが、兼一はよく言っている。

「ミキちゃんもそうだけど、マスコミで働く者にとっては、十二時は宵のうちだよ」

だから携帯を遠慮なく押す。が、出てきた兼一の声は少し眠そうだ。もしかすると眠っていたのかもしれない。が、もし眠っていたかと尋ねたら、そんなことはないと答えるはずだ。だから美季子は聞かない。

「あ、ケンちゃん、このあいだはご馳走さま」

「いや、こっちこそ楽しかったよ。サンキュ」

「あのね、ご報告しておこうと思って。今日、さっき美里に会ったよ。すごく元気してたよ」

「サンキュ」

兼一は低く言った。

「それを聞くととても安心する。ありがとう」

「わかってる。これからも報告してあげるね」

「ああ、よろしく頼むよ」

切ったとたん、心がぽっと温かくなる。今夜はよく眠れそうだ。そして気づく。兼一に電話したのは、美里のことを告げたかったためではないことを。


ミズホテレビのアナウンサー室は十八階にある。西を向くと、東京タワーが窓を分割しかけ、そして諦めたような位置で立っている。

晴れた日にはレインボーブリッジと東京港が見えるこの窓を背に、二人の管理職の男が座っている。アナウンサー室長とアナウンサー室次長の二人だ。かつては奥さま番組の司会をし、大層人気があった室長であるが、頭が半分後退していて、もう昔の趣はない。これほどきっぱりと年をとったら、いっそいさぎよいと思うほどだ。

そして次長の方は、今でもレギュラーをひとつ持っている。早朝の地味なものであるが、出ている限り老母が喜ぶからというのだ。

彼は五十過ぎても独身で、同性愛の傾向があるのは誰でも知っている。他局の報道部に若い同性の恋人がいるという噂もあるが、本当のことはわからない。

ともかく視聴率が測定不可能なほどの番組に出ていても、出演している時の彼はいきいきとしている。あれを見ていると、

「アナウンサーは、テレビに出てなんぼ」

と思わずにはいられない。

今月に入ってから、美季子はBS以外はほとんどがナレーションの仕事であった。話すことの技術が問われるナレーションが、美季子は決して嫌いではない。けれどもひとりブースの中に入っていると、時々スタジオの騒がしさが懐かしくて仕方なくなってくる。

本番が近づくと、ADの若い男が〝客入れ〟を始める。仕出し専門のプロダクションからやってきた、中高年の男女がスタジオの席に座るのだ。

〝前説《まえせつ》〟といって、客をリラックスさせるのもAD、アシスタント・ディレクターの大切な仕事だ。このADは、局の正社員だと、上にいく途中の若い時のいちプロセスだ。が、下請けのプロダクションの者だと、かなり長いこと続く苦役《くえき》となる。スタジオの中のいちばん下っ端で、皆にこき使われる役だ。ADが、気がきくかきかないかは、この前説のうまさにかかっていると言われている。いかにスタジオの客を笑わすことが出来るかどうかだ。

「いいですかァ、皆さん、僕の右手がまわったら、拍手くださァい。じゃ、試しにやってみ

ましょう、いいですか。あ、駄目です、間違ってます。今のは左手です」

スタジオの女たちが笑ったらしめたものだ。

局のメイクさんにぎりぎりまでパフをはたかれている美季子は、緊張しながら司会のタレントとMC席につく。目の前のモニターの数字が、刻々と変化する。40、39、38、37……、本番までの時間を告げているのだ。さらに近づくと、それに別のADの指が目の前に出てくる。すべて無言のまま彼の指が動く。5、4、3、2、1、さあ、本番、どうぞ。

CMが終わった。

カメラがまわり始める。

司会のタレントの男がまず挨拶する。その後は美季子だ。

「一緒に皆さまを、知識と笑いの世界にご案内するのは、ミズホテレビアナウンサーの柳沢美季子です」

こうしてテレビ局のアナウンサーだと名乗る時、誇らしさが胸をよぎる。アナウンサーはあくまでもこちら側の人間で会社員なのだ。だから、よその人、芸能人を立てる。先に名乗らせる。それが余裕を生むのだ。

けれども美季子は、あの誇らしさと緊張の場から久しく遠ざかっている。そしてこうしてパソコンを打ち、若いアナウンサーたちのシフトを練っているのである。

午後三時過ぎのアナウンサー室はひっそりとして静かだ。ここが喋りを仕事としている者たちの部屋だとは、とても思えないほどである。壁のずらり並んだモニターの、ミズホテレビの画像が映っているものだけが音声が入り、コメンテイターの女が何やら興奮して喋っている。

同じミズホテレビの社員でも、アナウンサー室は入りにくいという。おそらくマスコミに向けてのバリアが、自然と社内でも張りめぐらされているに違いない。ここにふらりと寄って無駄話を叩く社員もいないので、アナウンサー室の静寂はいっそう保たれているのだ。

五十五人ほどいるアナウンサー室であるが、仕事のある者は出払っている時間である。今、ここに座っているのは八人いる。管理職の人間が美季子を入れて四人、あとの四人のうち三人は、週に一度のレギュラーを持つ中堅のアナウンサーだ。そのための資料を見たりとそれなりに忙しそうにしている。

売れっ子のアナウンサーたちは、めったに席には戻ってこない。村上未来などは、デスクの上に山のように宅配便が積まれている。番組で出会った地方の人々が、この時ぞとばかりに人気アナウンサーに名産品を送ってくるのだ。しかし忙しい彼女は、開ける暇もないようである。

その席からひとつ置いたところで、滝沢《たきざわ》マリナが何やらパソコンを打っている。彼女は二十六歳、本当ならばいちばん多忙な年代なのであるが、今のところ彼女にはレギュラーが一本もない。

先日彼女をめぐって、ちょっとした記事が週刊誌に出た。それは他の若いアナウンサーのように、男性関係をすっぱ抜いたものではなかった。

「ミズホテレビの大失策となった滝沢マリナ」

というのである。

彼女が大変な鳴りもの入りでミズホテレビに入社したのは今から四年前のことだ。彼女の父親は世界的名声を誇る建築家であり、彼の三番目の妻、マリナの母親は女優である。女優としてはスターというところまではいかなかったが、彼女には強味があった。マリナの母方の祖父にあたる人物が日本の演劇史に残るような劇作家なのだ。マリナは筋金入りのお嬢さまということになる。有名私大を出て、海外の大学院への留学が決まっていたというマリナが、どうして女子アナウンサーをめざそうと思ったのかわからない。

過剰な自信が、宝クジ並みの倍率の女子アナウンサー試験に向かわせたのだ、という記事があったが、そうではないというのが、近くにいる者たちの一致した意見だ。あまりにも有名な父親を持った娘は、他の女子大生と同じようなやや軽薄なありきたりな願望を抱くことで、彼女たちと同化しようとしたのではなかったか。アナウンサーを記念受験するという彼女たちと同じ思い出をつくりたかったのではなかったか。

しかしマリナの計算違いがあった。娘可愛さのあまり、彼女の父親はかねてからの友人であったミズホテレビの会長に、就職を頼んだのである。

ミズホテレビも他のテレビ局と同じように、コネがかなり有効な会社であったが、アナウンサーだけはそうはいかない。女性だけならたった二人か三人という状況に失敗は許されなかった。だから会社側は厳選に厳選を重ね、あらゆるしがらみを排除するのだ。けれどもマリナの場合、会長からの命が下ったというのである。

「責任は俺が取る」

この言葉に逆らえる役員などひとりもいるはずはない。幸か不幸か、マリナは最終選考のひとつ前までは残っていたのである。

彼女のミズホテレビ入社が決まった時、多くのマスコミは書きたてた。

「母親譲りの美貌に、父親譲りの知性。史上最強の新人アナ」

確かにマリナは美しい娘であった。もしひとりでたたずんでいたら、なんて綺麗な女性だろうと、人は言うに違いない。が、美人女優で知られる彼女の母親の姿を、頭のどこかでこびりつかせながらマリナを見ると、まがい物、あるいはセカンドブランドの印象を抱いてしまうはずである。やがて日がたつにつれてマスコミは論調を変えた。実はそう美人ではない、と言い出したのだ。性格がおっとりしている、というのならば、まだ別の〝いじられキャラ〟も発生したかもしれない。が、マリナの場合、中途半端な勝気さが裏目に出た。なんとはなしに可愛気がない、という印象を持たれてしまうのだ。やがてはっきりと、マリナが「使えない」という評判が立ち始めた。これがふつうの女性アナウンサーだったら、ひっそり消えていくことで済んだかもしれない。

けれどもマリナの場合「使えない」ことで、面白おかしく書き立てられるようになったのである。

レギュラーがなくなった今、彼女にどんな仕事を与えるか。これは美季子と室長たちとの論議となった。結局そう数字も期待出来ないような特番の司会をさせようということになったのであるが、これには番組のプロデューサーたちが反発した。地味な番組だからこそ、司会は華やかな人気アナウンサーにやって欲しい。それが無理だとしても、司会が滝沢マリナというのは面白くない話だ。「ミズホテレビの失策」「まるで人気が出ないセレブアナ」などマスコミが書きたてる女性アナウンサーが司会をするというのは、はなから番組が不景気な様相を帯びる、というのである。そこを何とか説得して彼女をサブ司会者にし、メインは大物コメディアンに依頼した。が、やはり数字は取ることが出来ず、「失策」はやはり本当だったと局内でも人々は噂した。若い女性アナウンサーの力で、数字が動くはずもないことは承知のうえで面白がっているのだ。

美季子はなるべくマリナの方へ思いを行かせないようにして、パソコンの画面を見つめる。アナウンサーとして自分は、ほとんど仕事がなくなっている。能力が劣ったわけではない。ただ年をとっただけだ。話す技術は前よりも上がっているはずだが、容姿が衰えてきたということだけで、テレビからは排除されようとしている。が、若く美しいけれどもやはりテレビから除《の》け者にされようとしている女もいる。こちらも能力がないわけではない。運が悪いだけだ。

テレビ局というところは、いやアナウンサーというのは、なんと不思議な職業なのだろう。会社員でありながら、これほど容姿や運によって左右される仕事があるだろうか。が、この二つから見放された自分はとても気楽だと美季子は思う。こうして適当にパソコンを打ち、合い間には「取材」と称して試写会や芝居に行くことも出来るのだ。

シフト表にマリナのスケジュールが映った。今週も小さなイベントの司会といった半端な仕事がぽつぽつと入っているだけだ。どれほどつらいことだろう。が、そう嘆くこともない。もうじき時間が悩みを取り去ってくれるはずだ。恵まれた女にとって時間というものは敵になるが、そうでなかった女にとって、時間は諦めという安らぎをもたらしてくれる。それまでもう少し頑張りなさいと、美季子は静かなエールを送る。

II

週に二回ほど美季子はジムに通っている。三年前、ハイビジョン放送で流された自分の顔がかすかに弛んでいるのを見た。その時の感情は「まさか」と「やっぱり」の半分ずつだったような気がする。自分の老いがここまではっきり現れているとは思ってもみなかった。また同時に、ここまでわかるのなら、若い後輩たちが優先されるはずだと了解したような清々しさもあったものだ。

とにかくこのまま老いに身をまかすのも嫌だったので計画を立てた。週に一度のエステに必ず行く。そして会費を払うだけだった会員制のジムにも通い、きっちりとスケジュールを立てて、自分の肉体を改善しようと心に決めたのだ。

といっても、美季子はそう禁欲的な性格ではないのでついさぼり気味になる。この頃は、お酒を飲み過ぎた次の日になることが多い。

美季子は髪をアップにし、ジャージーのショートパンツを穿《は》く。夕方の時間だから若いOLも多いが、彼女たちと鏡の前に立っても、そう遜色《そんしょく》がないような気がする。

四十代というのは意地悪な季節だ。ちょっと見には、三十代と同じ若さと美しさが保たれている。が、よく目を凝らしてみると、顔や首すじ、下腹部とさまざまなディテールに時の悪意が宿っている。これを見て見ないふりをするか、ことさら悲観して考えるかは、女のパーソナリティーがかかっている。美季子はこのどちらでもない。変わってしまったものはしようがないと素直に認め、そして努力をする。が、あまり努力をし過ぎると、加齢という大きなものとの苦しい戦いになってしまうはずだ。だから適当に息を抜きながら、トレーニングに励もうと心に決めていた。

それでも今日、二つのプログラムもこなし、たっぷりと汗をかいてロッカールームに戻ってみると、携帯に着信の記録があった。美里からであった。

「ごめんね、今、ジムにいるもんだから、すぐに出られなくって」

「やっぱりミキちゃん、私とは違うわ。ジムに通ってんのね。私なんかこの頃めったに外にも出ないもん」

病気をしてからか、美里は美季子と自分との違いを必要以上に気にしているようだ。

「この暑さじゃあたり前よ。ほら、私、お酒好きだから、画面に出た時かなりまずいことになるって反省してるの。まあ、職業上必要なメンテナンスよ」

「あの、今、電話してててもいい？」

「もちろん」

シャワーをすぐに浴びるつもりだったが、五分や十分、どうということはないだろう。すぐ隣のロッカーでは、若い女の子が着替えている最中だ。裸の背に肉が全くついていない。それだけで二十代だということがわかる。

「あのね、ミキコ、ケンちゃんと近々会う？」

「そうだね、これといった約束はないけど、秋になったら、何か食べに行こうって話はしてるけど」

「そう……。だったらいいの」

電話を切ろうとするので、美季子は慌てて言った。

「何言ってんのよ。会わなくても、私たちしょっちゅうメールや電話はしてるから、何か伝えることがあったら言うわよ」

「あのね、とっても言いにくいことなんだけど」

しばらく沈黙があった。

「この二ヶ月、ないのよ」

「何が、生理が？」

「やめてよ、そんな冗談」

美里は笑い、それでずっと明るい口調になった。

「ケンちゃんから、毎月送ってもらってるでしょう。それが先月とその前の月からないの」

「ええー、そんなの信じられない。ケンちゃんはそんな人じゃないでしょう」

「ええ、別れてからずっと送ってくれた。一度も遅れたことはないわ」

「この頃は慰謝料も、子どもの養育費も払わない男が多いっていうけど、ケンちゃんに限って、そんなことあり得ない」

「私が働いていればこんな催促しないいんだけど、ほら、私、手術したばっかりでまだ本調子じゃないの」

「わかってる、わかってる」

最後まで言わせないようにした。

「よおし、ケンの奴、ちょっとガンと言ってやるから。たぶん忘れてると思うんだけど、そういううっかりはよくないよ、ってちゃんと言っとくからね」

「あのね、ケンちゃんとこも大変だと思うのよ。まだ子どもは小さいし、いろいろかかるんじゃないのかしら」

「そんなこと関係ないじゃないの。ケンちゃんはあなたに悪いことしたんだから。慰謝料払うのはあたり前なの。あたり前のこととしてもらうのに、そんなに悪がることはないのよ」

「慰謝料」という言葉で、若い女の裸の背がぴくりと動く。そういうことに敏感な年頃なのだろう。

「とにかく私からケンちゃんに話しとくから、何も心配しなくていいの。美里は早く元気になることだけを考えて。それから、美里が入院したこと、ケンちゃんに話すことになるけどいいのね」

「うん……」

美里は甘やかな声になって言った。


妻と大喧嘩をした。美季子からの電話で、仕送りが滞っていることがわかったからだ。家計は妻に任せていたが、仕送りは必ず自分で行なっていた。しかし先々月は、ボーナスが入り大きな金が動いたので、預金をするついでに二ヶ月分まとめて送ることにした。それをうっかりと妻に頼んだのがいけなかったのだ。

「ちょっと遅れたっていいじゃないの。定期をまとめた額でしたかったのよ」

多恵が居直ったので、馬鹿と怒鳴りつけた。

「そりゃあ、別れた女房に金を送るのは嫌だろうさ。昔のことを思い出して不機嫌になるのもわかる。だけどこれは約束なんだ。俺たちのせいで不幸になった人間に対するおわびなんだ。だったらお前も、俺と一緒に誠意を尽くすのがあたり前だろう」

が、そういう理にかなった言葉ほど、多恵を腹立たせるものはないらしい。

「そういうご立派なことを言われると本当にムカツク！」

「ムカツク？」

兼一は時々、自分よりはるかに若い妻の言語の乱暴さに驚くことがある。

「そうやってあなたって、私のことを責めてんじゃないの。お前さえしゃしゃり出て子どもつくらなかったら、俺と女房は幸せにうまくいってたんだって。ねえ、私ってこれから一生責められて、一生償わなきゃいけないわけ。人の旦那さん取った女って、言われなきゃいけないの」

あの時、多恵は完全に目が吊り上がっていた。それよりも兼一には衝撃だったのは、美里が癌の手術を受けたということだ。どうして自分に黙っていたのだとなじりたくなり、もうそんな仲ではないのだと思い直したとたん淋しさが押し寄せてきた。美里の方は、もう自分のことをはっきりと他人だと思っている。だから病気のことは伏せ、人を介して金のことだけを言ってきたのだ……。

「どうしたの……」

カウンターから、すっと腕が伸びてきた、ノースリーブのそれは、適度に脂肪がついていて兼一には非常に好ましい。たぷんたぷんとぜい肉が扇のように揺れる二の腕は論外であるが、若い娘のそっけない腕も魅力がなかった。兼一がいちばん好きなのは、やわらかい脂肪がほどよくつき始めた三十代後半の腕である。

本山野々美《もとやまののみ》は三十六歳で、理想的な二の腕の持ち主である。芸大卒の美人イラストレーターとしてデビューの時は騒がれたものであるが、本人は売れっ子になる気はまるでなかったらしい。ニューヨークでしばらく暮らしたかと思うと、その後上海《シャンハイ》と東京とを行き来し始めた。向こうで中国人の男と同棲していたらしい。

「絵がますます面白くなっている。画文集のようなものを出したいらしいので力を貸してくれないか」

と知り合いに頼まれて会うことになったのだが、兼一はいわゆるとがった女が苦手である。仕事柄そういう女は山のように見てきた。

私って変わってるんですう。

ユニークな私を見て、見て。

本を出したいの。私みたいな女、今までいなかったから、みんなびっくりすると思うの……。

けれども野々美は違っていた。髪を奇妙な色に染めることもなかったし、オブジェのような帽子も被《かぶ》ってはいなかった。シンプルな黒いワンピースを着て、大人の女という印象であった。話してみても聡明さと落ち着きがまず心に残る。

「私はどうも東京のリズムが合ってなかったような気がして、いろんなところで暮らしたんですけども、この頃は妙にこの街が好きになってしまって。だから少し腰をすえてちゃんと仕事をしたいと思ってるんです」

イラストとエッセイを一緒にした本を出したところ、若い女性を中心にそこそこ売れた。もう恋愛などすることはあるまい、と思っていた兼一の心に、するりと野々美が入ってきたのは半年前のことだ。これには本当に驚いた。自分はあれほど手痛いめに遭ってきたではないか。若い女を妊娠させ、女房を捨てた男として世間のひんしゅくを買った。それより何より、自分は本当に苦しんだものだ。美里という学生時代から愛し愛されてきた女を、自分は他の女のために捨てた。この罰として、自分はもう恋など出来るはずはないと思っていた。四十代の、ましてやマスコミの世界にいる男となれば、たいていは若い女がいる。完全な遊びから、ちょっと本気まで深度はさまざまであるが、みんな恋の冒険を楽しんでいる。が、兼一は自分を戒めるというよりもそんな気になれなかった。

それなのに野々美は、兼一の心の隙間をぴったりと埋めたのだ。

「三橋さんって、女の人に対してものすごく用心深いですね」

ある日野々美に言われ、驚いたことがある。

「私の離婚した女友だちに、そっくりなの。どうか私に気のあるそぶりを見せないで、どうか私の心を奪うようなことしないでって、必死で身構えているんです。世間の人って、そんなにあなたに興味もってないわよって、私なんか言いたくなってきちゃうけどね」

やがて二人で飲んだ時、彼女は言った。

「会社の人から、今の奥さんの話聞きましたよ。用心深かったのはそういうことなんですね。でも笑っちゃう。あと四十年生きなきゃいけない人が、どうしてもう諦めちゃうのかしらね。もう世の中から降りようなんて思うのかしら。三橋さん、これからどんな女の人に会っても、そういう態度をしていくつもりなんですか。たった一度の失敗で」

兼一は驚いた。あの一連の出来事を「たった一度の失敗」などと言った者は誰もいなかったからである。

そして気がつくと、野々美とそういうことになってしまった。といっても、月に一度食事をし、時々彼女のマンションに行く程度の仲だ。彼女のことで案じたことは一度もない。妻の多恵とは全く違う種類の女であることは最初からわかっていた。結婚にも家庭にも興味を示さない。淡々と仕事をこなし、すぐ旅に出る。旅先からそっけないメールが届く。私のこと愛している？　などとは一度も書いていない。

野々美はいい女だ。理想的なのは二の腕だけではなかった。自立をし、そして欲がないが、兼一の心は今も揺れている。

「本当にこんなことをしていていいのだろうか」

昔の妻を苦しめ、今の妻といがみ合いながら、もう一人の女に心を奪われていく。

「本当にこんなことが許されるのだろうか」


「また、やられちゃったよ」

アナウンサー室長の藤井が、電話を切るなり、舌うちした。

「あれほど写真週刊誌には気をつけるようにって言っていたのに」

主語が抜けているが、誰のことかたいてい見当がつく。今アナウンサーアイドルの名をほしいままにしている村上未来だろう。いや、もしかするとスポーツ番組に出て以来、めきめきと人気を伸ばしている津島晶《つしまあきら》かもしれない。いずれにしても、若い女子アナのマスコミ対策は、上層部の悩みのたねだ。あまりにもあくどいものは正式に抗議をするが、出版社の編集長クラスとテレビ局の上部とは、たいてい顔見知りの持ちつ持たれつの関係だ。だからあまりきついことも言いづらく、つい、

「日頃の行動に気をつけること」

というありきたりの小言になってしまう。といっても、年頃の女性に、「酒を飲むな、出歩くな」とも言えない。せめてつき合う相手を選んでほしい。くれぐれも派手な芸能人たち

と同席しないように、仲間うちで飲む時には店の個室に入るようにと、なかば懇願するようになってしまうのだ。

もはや、アナウンサーの域を超えた未来は、あらゆるところからカメラで狙われている。このあいだはイベントの際、かがんだ時のパンツの線や、ほんの少しはみ出した素肌が撮られているのだ。世の中には「女子アナフェチ」というべき男たちがいると知らされた時、美季子はその言葉のおぞましさにぞっとした。自分も若い頃、気味悪いファンレターを送りつけてきたり、局の前で待ちかまえている男がいたりしたものであるが、今の彼らのねちっこさとは比較にならない。若いアナウンサーが、イベントや取材で戸外に出ていくと、マスコミだけでなく、たくさんの男たちが望遠レンズで狙うのだ。

「気をつけろ、っていうけれども、もう私の力じゃどうしようもありません」

以前未来が抗議したことがある。

「もう信じられないことばっかりされるんです、私、OLなのに」

が、最近とみに化粧がうまくなり、人気者特有のオーラをまとい始めた未来が「OL」という言葉を発音すると、それはいかにも不自然に聞こえた。確かに局アナはOLなのだ。けれどもそんなことを誰も信じてはいない。おそらく未来にしてもそうだろう。もし自分はただのOLだなどと思っていたら、タレントの家から朝出てくるものだろうか。明日発売の写真週刊誌のゲラ刷りを、室長はいち早く手に入れていた。いかにも高級そうなマンションの駐車場に立ち、携帯電話をかけている未来がいる。

「どうやら上の階から見張ってもらい、あたりに誰もいないか確かめているらしい」

と中の文章にもある。キャップとサングラスといういでたちは芸能人そのままだ。相手も売れっ子のお笑い芸人である。未来とは昨年まで同じ番組の司会をしていたはずだが、噂は一度も聞いたことがない。このあいだまでの恋人とは別れたのか、どちらもビッグネームゆえに、表紙にも、新聞広告にも大見出しをつけられるのは間違いなかった。

「どうして村上のやつ、こう次々と問題を起こしてくれるんだろう。また安田《やすだ》に文句言われるよな」

安田というのは、室長と仲のいい広報部長である。女性アナウンサーがこういうゴシップに遭うと、マスコミ各社に向けて広報がコメントを出すことになっている。たぶんいつもの、「グループでいい交際をしていると聞いています」

は使えないかもしれない。

「もうこれは仕方ないですよ」

美季子は室長の前のソファに腰かける。こうしていると、自分がもう若くない女性管理職になったような気がするが、本当にそうなのだから仕方ない。

「村上はもう芸能人並みの人気を持っています。タレントさんの間でもファンが多いそうです。こんな風になるのは時間の問題ですよ」

「でもねえ、君の場合はこんなことなかったよ。ちやほやされても、ちゃんと組織の人間としての分を守ってたよ」

美季子は遠い昔、自分が新人の頃、まだ髪も意欲もたっぷりあったこの室長から、なんとはなしに誘われたことを思い出した。

「時代が違いますよ」

かすかに笑う。

「私たちの時、まだ会社は女性アナウンサーをこんな風にはしてませんでしたもの。バラエティの司会に使うことはめったになかったはずですよ。今のところ、アナウンサーをタレントにしてうまく使いたいっていう会社の方針と、有名になって楽しくやりたいっていう若いコとの利害が一致しているんだから仕方ないじゃないですか」

最後の方はきつい言い方だと思うが仕方ない。女性アナウンサーがゴシップにまみれると、会社の上層部は怒ったり焦ったりする、そして、

「管理が悪い」

と中間の者にあたるのであるが、こういう事態を招いたのは、彼ら自身に他ならない。そう、数年前からはっきりとアナウンサーの選考基準が変わってきたのだ。一般常識や明瞭な発音よりも、まずテレビ映りが重視される。テレビ局によって好みのタイプというのは確かにあり、ミズホテレビの場合は知的な美貌よりも、愛くるしい幼く見える顔が好きだ。

会社のトップたちが、これほどまで女性の好みをうんぬんする会社があるだろうか。まるでキャバクラの女性を選ぶように、男たちの手から手へ、履歴書の写真が渡されるのを美季子は知っている。

そして当然のことながら、自分はひややかにそうしたアナウンサー室を眺めている。もう美季子は渦の中に入ってはいない。渦を静かに眺め、密かに批判することは、人が考えるほど淋しくはなかった。もうここことは無縁なのだと考えているわけではなかった。自分が高いところにいると傲慢《ごうまん》な気持ちになっているわけでもなかった。

ただここにいつまでいていいのだろうかと思う。自分は立ち去る機会を失《な》くしてしまった。それが少々口惜しい。それだけのことだ。

そして渦の中に入っていないもう一人の女がいる。

「まるで人気が出ないセレブアナ」

として、しょっちゅうマスコミに揶揄《やゆ》される滝沢マリナだ。マリナもこのあいだ写真誌のグラビアに撮られたばかりである。先月のミズホテレビのイベントの際、たまたまひとりで立っていたマリナの写真の横に、

「ミズホテレビでも仲間はずれになっている」

という面白おかしく書かれた文章がのっていた。が、確かにそのとおりで、彼女は相変わらずデスクにひとり座っている。口の悪い社員からは「芸者置き屋」と呼ばれているアナウ

ンサー室は、確かに仕事がない者とそうでない者との差が歴然としている。

ベテランのアナウンサーだと、BSの番組やナレーションといった仕事があるが、若いアナウンサーだとそうはいかない。文字どおり「お茶をひく」ことになるのだ。けれどもマリナはそう気にすることもないようで、毎日パソコンを使って資料整理をしている。その端然とした様子が、育ちがいいと思えないこともない。

そのマリナから突然声をかけられた。

「柳沢さん、ちょっと今日いいですか」

「ええ、いいけど」

「お話があるんですけど……」

こんなことは初めてだ。マリナは同期の者たちとはそれでも時々飲んだり食べたりするらしいが、こんな風に美季子を誘うことはなかった。上司に何か相談しよう、などとやわな殊勝さはまるでない女だったからだ。

「それじゃ、十二階へ行く？」

美季子は指を下に向ける。十二階というのは、かなり広い社員用のカフェとレストランがある階だ。

「いいえ、ちょっとこみ入った話なので、別の場所の方がいいです」

それではと、アナウンサー室で時々使う、西麻布の中華料理店を予約した。ここには小さな個室がいくつかあるのだ。

それでは後ほど、と言って去っていくマリナの後ろ姿を見ながら、たぶん退社の相談ごとだろうと美季子は思った。二十代の働き盛りに、これといったレギュラーが何もない。それがアナウンサーとしてどれほどつらいか美季子にはよくわかる。有名な建築家の令嬢として育ったマリナにはおそらく耐えられないことだろう。やめるのもいいかもしれない。金はたっぷりあるはずだから、しばらく外国で暮らす、という道もある。問題はやめ方だ。今、マリナがミズホテレビを退職したら、マスコミはさぞかし面白おかしく書きたてることだろう。こちらとしてもいろいろ策を考えなくてはいけない……。さまざまな思惑をもって美季子は店へ向かった。

部屋に入ると、マリナはもう既に席についていた。店の暗い照明の中でも、彼女の美しさは際立つ。大きな目に手入れのいきとどいた肌。本人は自覚していないだろうが、化粧も普通のＯＬとは微妙に違う。女優やタレントと同じレベルの美しさを持ち、同じようなピンク系の化粧をしている。しかし女優やタレントではない。それがアナウンサーだ。

顔立ちの綺麗さを見れば、マリナは村上未来よりも上かもしれない。けれども未来のような人気はとても得られなかった。そしてアナウンサー室の片隅でくすぶっている。女優やタレントではないのに、彼女たちが背負うのと同じ宿命、運や人気で左右されるというつらさを味わうこと、これがアナウンサーという仕事なのだ。

「すいません、お忙しいところお時間つくっていただいて」

マリナは頭を下げる。こういうところに育ちのよさがあらわれている。

「いいのよ。ご存知のように、私なんかそんなに忙しいはずないもの」

マリナに何気なく応《こた》えたつもりだが、これは相手も傷つけたかもしれない。

「柳沢さん、何か召し上がりますか」

「そうね、ビールをいただくわ」

「じゃ、私もおつき合いします」

マリナは案外酒が強く、グラス一杯ぐいと飲み干した後は、紹興酒に切り替えた。しばらく世間話をし、料理もあらかた食べ終わった頃、ようやく肝心なことを喋り始めた。

「あの、ちょっとお聞きしたいことがあるんですけど、よろしいでしょうか」

「いいのよ、何でも聞いて頂戴」

たいていの予想はつく。こういう時、後輩がする質問は決まっている。柳沢さん、今のお仕事、楽しいですか。アナウンサーって本当にやり甲斐のある仕事でしょうか。男と違って、女のアナウンサーが定年まで働くなんてことが出来るでしょうか……。

しかし目の前のマリナは意外なことを口にした。

「柳沢さんが、高田《たかだ》正樹さんとおつき合いしていたっていうのは本当なんでしょうか」

「えっ」

かつての恋人の名を突然発音されたのだ。

「ちょっと噂を聞いたんですけど、まさかって信じられません。だって高田さんとは、すごく年齢が違うし」

言いづらいことをズバリ口にする、若い女の無神経さに美季子は一瞬腹を立てた。しかし露骨にそれを見せることは、管理職としての沽券《こけん》にかかわる。

「高田君とおつき合いしてるの」

「はい」

深く頷《うなず》く。

「三ヶ月前、同期の営業の人たちと飲んだ中に彼もいたんです。その時すごく話が盛り上がって……」

私の時と全く同じね、と美季子は言いたくなったが、社内の男とつき合うきっかけは、みんな同じようなものだろう。

「だったら、高田君に聞けばいいじゃないの」

これは思いきり意地悪な響きを込めた。

「ちらっと聞いたことはあるんです。こんな噂があるけど、っていう感じで。でもはっきりとは答えてくれないんです。別に君が知らなくてもいいことじゃないか、とか言って」

いかにも正樹らしいと思った。めんどうくさいことはいつも後まわしにしようとする、そして目の前の手に入れたいことだけに、全エネルギーを注ぎ込むのだ。

「ねえ、あなたに聞きたいんだけど、もし私と高田君がつき合っていたとしたら、あなたたちの恋愛にどんな支障があるっていうの」

「じゃ、やっぱりそうなんですか……」

マリナはぼんやりとこちらを見た。唇がかすかに開いている。それは嫌悪というよりも恐怖に近いものだということに、美季子は驚く。

「そうなんですか。でも、まさか、信じられない。彼と柳沢さんがつき合っていたなんて」

やりきれない思いになった。お堅い職場ならともかく、マリナと自分の勤めているところはテレビ局ではないか。人間の俗っぽさをよしとして、それを糧《かて》に商売をしているところだ。社内恋愛は当然として、不倫も決して珍しくない。そんなところに身を置いて、マリナのこの〝ねんね〟さはどうしたことであろう。

「ねえ、柳沢さん、はっきり答えてください。彼とはどのくらいつき合っていたんですか。一緒に住んでいた、なんていうのは違いますよね。まさか、そこまではいってませんでしたよね」

「そんなに人に矢継早に質問する前に、私が聞いたことにもちゃんと答えてよ。もし私が彼とそうだったとしたら、あなた、どうするつもりなの。いやだー、信じられないーってことで、彼と別れるつもりなの。ちゃんと答えてくれなければ、私も自分のプライバシーをそんなに話すつもりはないわ」

「信じてくれないかもしれませんけど、私、男の人とのつき合い、まるっきりなかったんです」

マリナは突然言った。

「高校まで女子校だったし、やっと共学の大学に入ったのに、父のことを知ると、みんな引いていってしまうんです。父のことは黙っていても、どういうわけかみんな知ってるんです。だけど彼って、知り合った日からずんずん私のところに来てくれて、すごく嬉しかったんです」

わかるわ、とすんでのところで美季子は口にしそうになった。

「十歳年上だからって、それがどうっていうんだよ、俺たち結婚するんだ」

「好きになっちゃったんだから仕方ないだろ。ガタガタ言うなよ」

あの時の正樹の声が甦る。年上の自分が聞いても胸が高鳴った、あの自分勝手な求愛は、若いマリナにとって、どれほどの衝撃を与えたことだろう。

「私、決めていたことがあって、もし、本当に好きな人が出来たら、心から愛せる人が出来たら、そのまま結婚までいきたいって……。とりあえずつき合うとか、遊びっていうのは絶対に嫌なんです。つき合う時に彼にそのことを言ったら、もちろん自分もそのつもりだって。結婚を前提につき合ってくれって……」

「わかったわ」

美季子は強い声で遮《さえぎ》った。

「あなたは、高田君と結婚しようと思ってる。いずれパパやママにも紹介しようと考えてる」

「もうしました」

「あーそう、それならよかったわ。とにかく滝沢家のおムコに迎えられることになる男が、よりによって十歳も年上の、しかも会社の先輩とつき合っていたらしい。それがあなたにとっては、とても我慢出来ないことなのね」

「………」

「あなたの質問に答えるわね。私と高田君は、昔確かにおつき合いしていたことがありました。それと彼はとてもよい青年です。ねえ、この答えじゃ駄目」

「一緒に住んでいたっていうのは」

「短い間のことよ」

「ひどいわ……」

マリナの唇は固く結ばれた。その代わり目がゆるくなり、じんわりと水を含み始めている。もうじき涙が頬を伝うに違いないと美季子は意地悪く見つめる。

「つき合っていた、っていうならともかく、同棲になると話は違います。結婚みたいなもんじゃないですか。どうしてこんな重大なことを、彼は話してくれなかったんでしょうか」

「それは、マリナちゃんのことを失いたくなかったからじゃないの」

なにやら美季子は楽しい気分にさえなってくる。

「あなたの先輩と、自分が同棲していた。そのことを知られれば別れを告げられるかもしれない。そのことが怖くて必死に隠してたんじゃないの」

「だけど、もっと早くちゃんと言ってくれれば……」

「それで好転するわけじゃないでしょう」

予想どおり、大粒の涙がぽたりと落ちて、白いテーブルクロスの上にシミをつくった。美しさだけでなく、富にも恵まれた、おそろしくプライドの高い娘。彼女はそのことがわざわいしてなんと最近までヴァージンだった。そしてそのヴァージンを与え、結婚を考えていた男には耐えがたい過去があったのだ。そしてその過去に加担しているどころか、美季子は主人公らしい。嫉妬などまるでなく、何やら愉快な気分にさえなってくるのであるが、ここは先輩として、上司として、ことをおさめなくてはならないだろう。

「ねえ、マリナちゃん、あなたはちょっと特殊だったかもしれないけど、人間、二十歳を過ぎていれば、恋愛の三つや四つはしているものなの。いや、今の若い人ならもっと多いかしら。高田君はごくふつうのことをしてきただけ。そりゃあ、十も年上の女とつき合うこと自体、ふつうじゃないって言われればそれまでだけれど、まあ、悪いことしたわけじゃないでしょう。女を騙したとか、ひどいことをしたっていうわけじゃないし……」

ここで美季子は言葉が途切れる。出会ってすぐ「結婚するつもりだから」と、強引に同棲をすすめたのは誰だったろうか。いきなり引越してきたのは誰だったか。そのために住むところが手狭となり、美季子はローンを組んでマンションを買うことになったのではなかったか。それなのにある日突然、正樹は出ていった。冷静に考えてみれば、自分は彼に「ひどいこと」をされたのではなかろうか。しかし今はそんなことを言う場合ではない。

「ねえ、肝心なのは、あなたたちの気持ちじゃないの。この人が好き、どうしても結婚したい、っていう気持ちがあるか、ないかっていうことじゃないの。その気持ちがあれば、過去のことなんかどうだっていいんじゃないの」

「でも、私は初めてだったんです」

「だったら、童貞の相手でも探せばよかったんじゃないの」

うっかり、美季子はここで笑いをもらしてしまった。

「そんなことじゃありません」

マリナはきっと睨んだ。

「恋愛していたって構いません。それが同棲だなんて……」

彼女が口にしないあとの言葉は、たやすく想像できた。

とにかくよく考えてよねと、最後に美季子は言って立ち上がった。

「私、明日朝早いから失礼するわ。ＢＳでフットボール中継のイントロやるから」

伝票を持とうとすると、

「とんでもない、私がお誘いしたんですから」

とマリナが押しとどめた。

「そうね、あなたに払ってもらってもいいかもね。じゃ、おやすみなさい」

タクシーの中でさっそく携帯の受信メールが光った。すぐに正樹からの反応があると思ったが、考えていたよりもずっと早かった。おそらくあの場で、マリナが電話をかけたに違いない。

さすがに直接かけることは出来ず、メールを送ってきている。

「ひどいよ。マリナにいろいろ喋ったみたいだね。今、彼女から泣きながらＴＥＬ来た」

美季子もすぐに返す。

「彼女が本当のことを知りたいって、私を呼び出したのよ。それに私、余計なことは喋ってません」

「いずれ、俺の口から話すつもりだった」

「そのいずれが遅かったんじゃないの。私の方こそとばっちりっていうもんです」

メールがせわしなくとびかう。電話で話せば簡単なことなのに、美季子も相手も親指を必死で動かす。

「あのヴァージンのお嬢さまを怒らせたからって、私にあたらないでくださいよ」

「彼女のことを、そんな言い方するな」

「うるさい」

電源を切った。タクシーのシートに身をうずめて、今夜あったことを考えてみる。ひとりの女を泣かせてしまった。自分のしてきたことで、過去においては、美季子は確かに主役であった。が、今は違う。若い二人の敵役となり、同時にピエロ役にもなったのだ。

「美季子のことが好きでたまらない。どうしようもないぐらい好きだ。愛してる」

と、激しく自分に口づけた男が、今は怒りを込めてこう言う。

「彼女のことを、そんな言い方するな」

その時、淋しいという感情が襲ってきそうになり、美季子は必死で戦う。

「こうなってしまったことは仕方ない」

というのが最近美季子が自分を励ます言葉だ。四十を過ぎたのは仕方ない。仕事がなくなったのも仕方ない。それは誰のせいでもなかった。かつて男に捨てられたのも仕方ない。そして今、恨まれているのも仕方ない……。それは誰のせい？　ふと窓に映る自分の顔に見入る。そこには美しいけれども、もう若くない女がいた。自分に問うてみる。

「もう私は、二度と主役になることは出来ないんだろうか。それはもう仕方ないことなのだろうか」

III

「ねえ、ミキちゃん、ちょっといいかしら？」

美里は携帯があまり好きではない。たいていの場合、かかってくるのは自宅の電話だ。言葉が明瞭に聞こえるという、この考えに美季子も賛成だった。携帯で話すというのはどうしても「急ぎの」「とっさの」という感じになってしまう。語りのプロとして、あのざわついた感じも好きになれなかったし、せかされる空気にもどうしても慣れることが出来ない。ゆっくりとお喋りをするのなら、やはりコードのついたふつうの電話だ。そういうところが、ものごころついた時から携帯に慣れている今の二十代と違うところだろう。

時計は十一時半になろうとしている。美季子のいちばん好きな、深夜になる少し前の時間。読みたかった本を読んだり、CDを聞いたりする、ひとり暮らしの女にとって至福の時間である。

この時間を孤独でわびしいと思うか、快適な時間と思うかが、独身の女の幸福の別れ道であろう。ある時美季子は、自分が後者の方だということに気づいた。恋人がいなければ淋しい。別れる時は涙のひとつもこぼれる。けれどもいつまでも続くかと思われるような澄んだ初夏の夜、紅茶を淹れ、ゆっくりとすすりながら好きな本を読む幸福。もうすぐエステサロンに行かなくてはと思いながら、自分でパックをし、ぼんやりと深夜番組を見る快さ。もしそういう幸せと孤独というものを秤《はかり》にかけたとしたら……。いや、そんなことは無意味だと美季子は思う。大人の女というのは、孤独を薄皮菓子のように奥歯で感じながら、ひとりでいることの楽しさも味わいつくす。こういうことが出来ずに、どうして四十二歳で、凜々しくひとり生きていくことが出来るだろうか。

だから美季子にとって、美里からの電話は時々はうとましくなることは仕方ない。少しずつ大切な夜が奪われていくような気がする時もあった。もちろんいつもではないけれど……。

「ねえ、ミキちゃん、このあいだ新聞に出ていたけど、日本の女の平均寿命って、八十六歳らしいわね」

「そうだね、そのくらいかもしれないね」

「だったら、私たちって折り返し地点を越したっていうことよね」

「そういうことになるかもしれない」

「スタートしてがむしゃらに走る時は過ぎて、あとは調整しながら、まわりを見ながらゴールに向けて走っていく。折り返すって、なんだか、つまらない感じがしない？」

「つまらないかもしれないけど、折り返しから先まだ走ってみないからわからないわよ」

正直なことを言うと、美季子は最近の美里のもの言いが苦手だ。やたら抽象的になっているからだが、これも大病したせいだと考えることにしている。

「なんかね、私、四十を過ぎてから、人間の一生って短いんだなあってつくづく思う。加速度がついてくって本当よね」

「そうだね、三十代の時と一年の長さがまるで違うよね」

これは美季子も同調することが出来た。

「私さ、病気したせいもあって、死ぬのは怖いなあ。年とるのもすっごく怖いわね。私さ、この頃やっとわかったの。人は子どもをつくらなきゃいけないって。子どもの成長していくのを見ていけば、人間って年とるのがそんなに怖くないようになってるのよ」

「まあ、そりゃあそうかもしれないけどさ、私たちこのままで生きていくわけだからさ、手に入れられなかったもののことで、くよくよするのはやめようよ」

「ミキちゃんって」と、受話器の向こう側で深いため息が聞こえた。

「ミキちゃんって、どうしてそんなにカッコよくしていられるの。本当に強いのね」

「別にさ、強いっていうわけじゃないわよ。性格の違い、ただそれだけのことだわ。ただひとつ言えることは、私が仕事持ってるからかもね。まあ仕事してりゃ、自分が老いることや死んでいくことを、そんなに考えなくても済むしね。仕方ないって思うしかないでしょう」

「ミキちゃんって、そういうところがすごいのよ。私なんか本当にバカだもの。兼一と結婚するってことしか考えていなかったから、就職も腰かけ程度のことしかしてこなかったし……。私さ、ミキちゃんと違って、後悔ばっかりしてるから、こんなに年とるのが怖いんだわ」

加齢の恐怖よりも、おそらく美里の心を占めているのは死への恐怖なのであろう。こういう時、美季子はつとめて明るくふるまわなくてはならない。

「あのさ、私はね、年をとるのがいちばん怖い仕事についてるのよ。年をくうとだんだん価値がなくなるのは、もうホステスさんとアナウンサーぐらいだわ。でもホステスさんは薄暗いところにいるからまだいいけど、私たちは煌々《こうこう》としたライトに照らされるわけ。もう三十過ぎたらババアって言われる職場にいて、つらくないわけないでしょう。でもね、私、仕方ないと思ってるのよ。年をとることは、誰にでも平等に訪れることなんだもの。それに耐えてさ、耐えてもっていうのは大げさだけど、まあ、私ら生きていかなきゃならないんだから。年をとるのは、仕方ないって思うことにしてるの」

「それはね、ミキちゃんがすっごく若くて綺麗だからだわ」

「お、今度はお世辞ときますか」

「笑わないで。私ね、ミキちゃんには子ども産んで欲しいの。今だったら大丈夫よ、まだ間に合うよ。私は駄目だったけど、ミキちゃんには幸せになって欲しい。だからさ、誰とでもいいから子どもをつくって欲しいのよ」

「あのさァ……」

たまりかねて美季子は言った。

「私さ、そういう考え方、好きじゃないのよ。ひとつは決して強がりじゃなく、私は子どもが欲しいなんて思わない。ふたつは、子どもがいるから幸せだとも、どうしても思えない。私、このままで結構幸せなの。美里は信じてくれなくてもね」

「私は信じられない……」

いつのまにか美里は泣いているのである。

「私と同じ四十二でひとりぼっちで、ミキちゃんはどうしてそんなに強くなれるの。私は駄目だわ……」

やっと気づいた。

「ねえ、美里、体の調子がよくないんじゃないの」

「うーん、そうねえ。ちょっとひっかかるところがあるから、あさってもう一度詳しく検査しましょうって、先生から言われてるの。ミキちゃん、私、折り返し地点から走ることが出来ないかもしれない。そんな予感がするの」

そういうこと言うと、電話を切るよ、と美季子は怒鳴りつける。怒鳴らないと、鼻の奥がしゅんと音をたててしまいそうだ。

女の髪が顔の下にあった。髪からは決して甘くないシャンプーのにおいが漂ってくる。もしかすると野々美が最近凝っているハーブのかおりかもしれない。

野々美の髪ごと首を抱き、終わった余韻を楽しんでいるふりをしながら、兼一は帰る時間のことを考えている。

十一時半。もうタクシーを拾うしかないだろう。それはいいとして、明日は京都にいる著者のところへ行くことになっている。八時過ぎの新幹線だ。出来たらもうそろそろ帰り仕度をしたい。が、今女の体を離れ、立ち上がってシャワーを浴び、服を着るということはせかせかした印象を与えないだろうか。野々美は家庭のことであてこすりを言うような女ではない。

「早く奥さんのところへ帰りたいのね」

などというドラマに出てくるようなことは、絶対に口にしない女だ。ただ兼一が自分のことを磊落《らいらく》に見せたいだけなのである。

あと十五分こうしていようと、兼一は覚悟を決める。

「だってこんな贅沢な悩みを持つ男はめったにいないんだからな」

ひとりごちた。

マスコミの男はもてるといっても、自分はもう四十を過ぎている。妻子持ちどころか、離婚の経験もある男だ。それなのに、野々美のように、まだ充分若くて美しい女を手に入れることが出来たのだ。

兼一は遊ばせていた右手をまた動かし始め、野々美の汗ばんだ肌をまさぐる。もう一度同じことを始めるのではない。なごりを惜しんでいるのだという証《あかし》に、ゆっくりと指を這《は》わす。野々美の乳房にたどりつきゆっくりと撫でた。きゃしゃな体つきの野々美は、乳房も少女のように小さい。が、それも兼一の好みであった。

この頃、全く美しくもない女が、ただ胸が大きいというだけで必要以上にちやほやされる。巨乳などという汚らしい言葉によって、価値が引き上げられる女がいる。

乳房の大きさなどというものは、愛し合った後の褒賞というものではないか。それなのに、最近これ見よがしの服を着る女たちのなんと多くなったことか。兼一はいずれ本当の女の美しさについて本をつくりたいと考えている……。

いけない、まどろんでしまいそうだと、兼一は手を止め意識を立て直した。このまま眠ってしまったら大変なことになる。妻の多恵はとうに娘と寝入っているはずだが、朝、何時に帰ってきたかねちねちと問い質《ただ》すに違いない。早めの時間を言えば済むことなのであるが、朝から小さな嘘をつくのを兼一は好きではなかった。明日も早い時間の新幹線だ。もう、そろそろ許されてもいいだろうと野々美の髪から手を離すタイミングを見はからっていた時だ。着信音が聞こえた。野々美のものだ。彼女は最初無視しようとする。しかし着信音はいつまでも鳴りやまない。

「出なくっていいのか」

「いいのよ」

ぐいとシーツをひき上げた。たぶん男からだろうと兼一は見当をつける。全くといっていいほど嫉妬や驚きはなかった。野々美ほどの女だったら、自分以外にひとりかふたりいても不思議ではないと思ったからだ。

それでも携帯は鳴り続けたが、やがてぴたり止んだ。が、数秒もたたないうちに、玄関のインターフォンが鳴り始めたではないか。

「君らしくないな」

ついにたまりかねて兼一は言った。

「こういうトラブルとは無縁だと思っていたのに」

「そうじゃないのよ」

野々美はゆっくりと起き上がった。黒いままの髪が、裸の肩に少しずつ戻っていく。

「そんなんじゃないの。思いもかけないことが起こってしまったのよ」

「男と女のことってたいていそういうもんだよ」

野々美を責めるのではない。自分の経験を教訓のように話しているのだと気づいて、兼一はあやうく苦笑いするところであった。全くとんだことになってしまった。相手はおそらく若い男だろう。野々美が部屋にいることを知っていて、ずっと携帯を鳴らし続け、らちがあかずインターフォンを押しているのだ。

「知らん顔してればいいの」

野々美は怒りを含んだ声で言った。

「ちょっと勘違いをしている変わった人なの。今は相手にしない方がいいの」

「だけどこのままじゃどうしようもないだろう」

インターフォンは執拗《しつよう》に鳴り続けている。それはもはや意志を持った人間の声だ。

「おい、早くここを開けろ。中に別の男がいるのはわかっているんだぞ」

二人は見つめ合った。野々美が怯《おび》えているのが意外だった。今までそういうことに全く超然としている女だと思っていたからだ。仕事にも自分の魅力にも相当の自信を持っている女にふさわしく、野々美は心を全面的に許そうとはしなかった。セックスに溺《おぼ》れても、男に溺れることなど恥だと考えている節がある。つき合い始めた頃、この女をもっと自分の近くに引き寄せたいと何度か思ったものだ。が、それは最初のうちだけだったかもしれない。今となっては野々美のそういうところが、家庭のある自分には都合いいことなのだと、兼一はずるく考えている。

しかし今のこの事態を何とかしなくてはならなかった。男は今、マンションの下まで来てインターフォンを鳴らし続けているのだ。兼一はあたりを見わたす。仕事場を兼ねた3LDKのマンション。寝室に小さなあかりがついている。外に立っている男はそのあかりを見逃さない。なぜならある時、自分もそのあかりの中にいたことがあるからだ。

「どうする。警察に電話するか」

「まさか」

かすれた声を出した。

「私が何とかするから、兼一は早く服を着て裏の方から出て。B1に降りて、駐車場から出る道、知ってるわね」

「ああ」

手早くシャツとジャケットを身につけ兼一は玄関に立った。インターフォンはまだ鳴り続けている。嫌味のひとつも言いたくなった。

「とんだ間男にされちゃったな」

「やめてよ、そんな言い方。あなたらしくないわ」

野々美の方もトレーナーとジーンズに着替えている。たぶん風邪で寝込んでいたなどと言うに違いないと、兼一は意地悪な気分がわき上がった。

「何がおかしいの」

「別に」

「これで別れたって構わないのよ」

乱暴にドアを閉めた野々美の顔は化粧気がなかったが、やはり綺麗だと思った。自分を裏切ったばかりの女を、やはりいい女だと見てしまう。そんな自分の心根がおかしくて、エレベーターの中でも兼一は何度もしのび笑いをした。

浮気相手のところで寝ていたら、違う男が押しかけてきたのだ。まさか自分の身に、こんなコントのようなことが起ころうとは思ってもみなかった。先の恋愛で前の妻と別れた時も、今の妻と一緒になる経過も、それはシリアスなラブドラマではなかったが、少なくともコミカルなドラマではなかったはずだ。どうしてこんなことになったのか。兼一はおかしくてくつくっと笑う。自分が本当に愚かだとつくづくと思った。

が、その後起こったことは、兼一のそんな呑気さをあざ笑うようなことであった。まず野々美からこんなメールがあった。

「昨日は本当にごめんなさい。今度会った時に詳しくお話ししますが、ちょっとエキセントリックな人です。気をつけてください」

気をつけてください、とはいったいどういう意味だろうと深く考えないまま、そのままほうっておいたところ、四日後に突然電話がかかってきた。

「白石《しらいし》と申します。野々美さんの知り合いです」

思っていたとおり、若い男の声であった。

「ちょっとお話ししたいことがあるのですが、おめにかかるわけにはいかないでしょうか」

エキセントリックと野々美は言ったが、今頃珍しいほどのきちんとした話し方だった。まさか強請《ゆす》られることもあるまいと兼一はタカをくくる。

「会ってどんな話をするのかな。別にこれといって話をすることもないと思うけれど」

年上の男の余裕を持って語りかけたところ、若い男は急に横柄な口調になった。

「いや、会ってくださいよ。あなたはどうしても僕に会わなきゃいけないと思いますよ」

どうしようかと兼一は惑う。野々美に聞いたら反対されるに決まっている。しかし男に会わないことには、結着がつかないような気がした。野々美とはいずれ別れる時がくるだろうとは思っていたが、これはおそらくきっかけというものだろう。こういうわずらわしさと直面すれば、自分はあっさりと野々美と別れられるかもしれない。

が、この時もまだ兼一は男を軽く見ていたところがある。野々美は知性も教養もある女だ。だから相手の男もそれなりの立場を持ち、自分と同じ社会に属していると兼一は考えていたのである。

「それじゃ、ちょっとおめにかかってもいいけれど、夕方早い時間にしてください。そんなに時間はとれませんよ」

「わかってます」

どこにしようかと考えたのであるが、銀座にある老舗のホテルのラウンジを指定した。気づかないうちに大人のテリトリーに誘い込むつもりだったようだ。

「じゃ、目印はどうしたらいいだろう。何か週刊誌を持っていようか」

「いいえ、お顔はわかると思います」

兼一の胸に不安がよぎる。これはいったいどういうことだ。会社にかかってくるだけでも相当のことであるが、知らないうちに男は自分の顔を知っているというのだ。

「どうして君は僕の顔を知っているの」

思わず問うてみた。

「決まってるじゃないですか」

男は苛々《いらいら》した調子で言った。

「野々美の部屋で、あなたと一緒の写真見たんですよ。どこかに旅行してた写真です」

ああ、あれかと兼一は声をあげた。仕事で金沢に行った時に、野々美とおち合ったのだ。二泊して能登の方にまで足を延ばした。能登は初めてとかで野々美は大層はしゃぎ、珍しく写真を何枚か撮った。おそらくその時のものだろう。不倫をしている場合、独身の方がいろんな証拠に関して無防備になっているのは仕方ないことであった。

約束の日、少し早めに着きビールを飲んでいると、男が入ってくるのが見えた。黒服の男に何か言い、まっすぐこちらに向かってくる。ジーンズにジャケットというありふれた格好であったが、男はひどく目立った。背が高く脚が長いからだろう。近づくにつれて男の顔はよく見える。彼が美貌だということに兼一は驚く。こんな男がどうして嫉妬などするのだろう。

「三橋さんですね」

礼儀正しく男は問うた。

「そうです」

「僕は白石翔樹《しょうき》と言います」

「まあ、座ってくださいよ」

「失礼します」

男はどこまでも折り目正しく、隣のテーブルの者が見たら面接をしていると思ったことだろう。

「何か飲みますか」

「ビールをいただいてもいいですか」

「もちろんですよ」

兼一はウェイトレスを呼び、もう一杯ビールを持ってくるように頼んだ。男は酒が強いらしく、グラスの半分をひと息で呑んだ。

「さて、それで……」

口火を切ったのは兼一の方だ。

「白石さんはいったい僕に何の用なんだろう」

「もうわかっているでしょう」

目を細めるようにしてこちらを見る。まるで女のように睫毛《まつげ》が長くけぶったような目だ。

年齢は三十を少し越したぐらいか？

「あなたが野々美とつき合ってるのは薄々気づいてましたけど、野々美がやっと白状したんですよ」

「最初に言っておきたいんだけど、僕は彼女に君……、白石さんという人がいるなんてまるで知らなかった。だから僕もいささか驚いているんですよ。それでね、僕とあなたとがどうして会わなきゃいけないんだろうって、今も考えている最中なんです」

「あの……僕もイラストを描いているんです」

白石はその問いには答えず突然話し始めた。

「もちろん彼女みたいな売れっ子じゃないですよ。知り合ったのは上海です。そこで一緒に暮らしていました。僕としてはいずれ結婚してもいいと思ってたんですけれども、彼女が突然日本に帰ったんです」

「なるほど」

年寄りじみたあいづちが自然に出た。中国人ではなく、日本人と同棲していたのか。

「すぐに帰ってくるって言ったのに、彼女からある日電話がかかってきたんです。荷物を日本に送ってくれって。それで僕もすぐに帰りたかったたんですけれど、金もなかったし、いろいろ雑務もあったので、結局一年もかかってしまいました。そして彼女に会ったんですけれど、その間にすっかり日本での地盤をつくっていたんですよね」

兼一のところで最初の本を出した頃だ。もう海外で暮らすのは疲れるし飽きたので、日本で落ち着きたいと言い、野々美は作品を持ち込んできたのだ。

「もちろん日本に帰ってからも、ちょくちょく会っていました。だけど彼女の態度が変わってきたんですよ」

なんだこれは、ふられたということではないか。やけになって違う男につっかかってくるというのは、本末転倒もはなはだしい。が、意外な事実を彼は口にする。

「じゃ、もう別れようかと何度か言ったこともあるんですが、いや、そういうことじゃないって野々美は言うんですよ。そしてどうやら彼女がとても苦しんでいるのが、僕にはわかってきました。僕のところへいずれ戻るつもりなんだけれども、今はいろいろ悩んでいる。少し考えさせてくれって言うんです」

「ちょっと待ってくださいよ。僕たちはそんな仲じゃない」

兼一は彼の話をさえぎった。わからないことが多過ぎる。野々美が自分とのことをそれほど深刻にとらえていたとはどうしても考えられない。結婚を迫られたこともなければ、考えたこともない仲であった。もっとはっきり言えば、妻子ある男と今どきの三十代との、割り切ったドライな関係だったはずだ。

「あなたは野々美のことをよく知らないんだ」

白石はゆっくりとこちらに目をやる。その目が怒りのために次第に赤味を帯びているのがわかる。

「彼女は信じられないぐらいプライドの高い女ですから、本音を決して出しません。だけどね、あなたのことで相当悩んでたはずです。本気で好きになった男から、浮気相手としか扱われない。そして相手の男はぬくぬくと家庭生活を楽しんでる。こういうことをされれば誰だって傷つくでしょう。そしてね、僕も一緒に傷ついたんですよ。だって彼女の心は僕から離れたんじゃない。僕にくっついたまま、どんどん傷ついていく。僕もつらかったんです。わかりますか」

どろりとした不気味なものが兼一の背中にしのびよってきて、思わず声をあげそうになるのをこらえた。

「僕たちはもう元に戻れないんです。それはね、みんなあなたのせいなんですよ、わかりますか」

兼一は目の前の男を凝視する。まるで俳優といってもとおりそうな美貌である。両側からヘラで丁寧に削りとったような形よい鼻梁《びりょう》、二重の目も大き過ぎず、面長の顔にバランスよくおさまっていた。

「それで君は、僕にいったい何を望んでいるのかな」

兼一は身構えながら問うてみた。

「金だと思っているんでしょう」

白石はうっすらと笑い、兼一はばつの悪い思いをする。全くそのとおりだったからだ。

「金は確かに欲しいですけど、僕は強請りをするほど落ちぶれちゃいない」

「じゃ、どうしてこんな風に会っているんだろうか……」

答えをこちらから言ってはいけないと思いつつ、一瞬の沈黙に耐えられなくて、兼一はつい口にしてしまう。

「それならば、彼女と別れて欲しいっていうことだろうか。そういうことならば、彼女の意思をまず聞かなくちゃならないだろうな。君と僕とでこんな風に話し合うことでもないだろう」

「やっぱり、あなたって、僕の考えていたとおりの人でしたね」

白石は再び笑った。にっこり笑うと、彼の歯並びがそうよくないことがあらわになる。左側の八重歯がにっと出た。が、この八重歯がなかったら、今の笑いはおそろしく悪意に充ちたものになったに違いない。

「家庭がちゃんとありながら、若い女とも楽しくやろう、っていう典型的なずるいオヤジだよな」

〝オヤジ〟という単語を吐き捨てるように発音した。

「君にそこまで言われるおぼえはないよ。理由はふたつある。僕は彼女に、君という存在がいることを知らなかった。ふたつめは、僕は今日、彼女に内緒で君と会っている。もし君と会うなんてことが知れたら、彼女は大反対しただろうからね。だけど僕は君とこうして会っている。それは君に対して、ちゃんと誠意と礼儀を尽くしているつもりだ。それなのに、君に〝オヤジ〟と言われることはないだろう」

「あんたのそういうところが、むかつくんだよ」

白石の大声に、隣のテーブルの二人づれがこちらを見る。ビールを運んでいた、黒いロングスカートの女が、おびえたように立ち止まるのが目に入った。

「自分はいつも何も失わないようにして、高いところに立ってゴタクを並べる。そういうあんたの態度が、どれだけ野々美を苦しめてるのか、あんた考えたことがあるのか」

「僕は彼女から、何も聞いていないよ」

どうしてこんなことになったのかという考えが頭の中をかけめぐる。声が冷静さを保っているのが不思議だった。「青二才め」。呪文のようにそうつぶやけばいいのだ。

「僕と彼女は大人の判断で、そういうつき合いをしている。彼女は僕に要求をしたこともなければ、何かを訴えたことがない。もし彼女が僕に不満を持っているならば、直接言えばいいことじゃないか。何も君に怒鳴られることじゃない。だいいち、僕は君の存在を知らなかったんだからね」

これ以上、この男といては危険だと兼一は判断した。伝票を持って立ち上がった。

「今度どうするか、彼女と話し合うことにするよ。少なくとも、君という人間を知ったんだから以前のようにいくわけはない。君もそれで満足しただろう。それでもう、僕の前に二度と現れないでくれよ」

もう一度大きな声を出されたらどうしようかと思ったが、そんなことはなかった。兼一はラウンジをつっ切る。自分が人生において大変な失策をしたような思い。いったいどうするのだと大きな問いをつきつけられた重苦しさ。これと似た感情を、過去に味わったような気がした。思い出した。

会社の近くのカフェに呼び出された。冬のよく晴れた日であった。白いハーフコートを着た多恵は、何かに耐えているような不思議な微笑を浮かべていた。一月の空気は澄みきっていて、多恵の唇は少し乾いていたが、そのことを全く気にする様子はなかった。

「今、お医者さんの帰り。思っていたとおり赤ちゃんが出来たの」

多恵は言った。

「でも心配しなくていいのよ。ケンちゃんに奥さんと別れてくれなんて言うつもりないから。未婚の母なんか今どき珍しくも何ともないでしょう。私ひとりで何とかするつもりだから安心して頂戴」

ちょっと待ってくれよ、と言ったのは憶えている。こんなことを、こんなところで出しぬけに言わないでくれよ、と言いかけ、言葉がすべてからからに乾いた喉の奥でひっかかったことも。

とにかく外に出よう、と言って伝票を持って立ち上がった。よく来ているカフェであったが、レジまでがこれほど長かったことはない。客がみんなこちらを見ているようだ。慣れない俳優のように兼一はぎくしゃくと歩いた。

自分の人生において、取り返しのつかないことが起こったという恐怖感。またそれを味わうことになるとは、兼一は考えたこともなかった。

予想していたとおり、その日のうちに野々美から電話があった。

「私、知らなかったのよ」

ぽつりと言う。

「三橋さんに直接電話するなんて、本当に考えもしなかったの。あの人、私の本のあと書きを見て、あなたの名前と会社を知ったみたい」

「仕方ないよ、同棲していたんだろう。一緒に暮らしていたなら、半分亭主みたいなもんさ。僕のところに乗り込んでくるのもわからない話じゃない」

「もう終わった話よ」

「あっちにとっちゃ、終わった話じゃなかったんだろう。だけどどうするかな。これはもう君と僕だけの問題じゃない」

「本当に悪いと思ってるわ。あなたを巻き込むなんて考えもしなかったの。あの人、やつあたりをしているのよ。もう私が自分のところへ戻らないってわかってるから」

くどくどと言いわけをする野々美は、まるで別の女であった。彼女の部屋で何度もセックスをしたけれども、それでも二人の距離が縮まったと思ったことはない。若い女にしては非常に珍しいことであったが、その最中も彼女は愛の言葉を求めなかった。そうしたプライドの高さに時々辟易《へきえき》することはあっても、その魅力には抗えなかったものだ。それなのに今の野々美は、自分の失敗の言いわけをするふつうの愚かしい女ではないか。

「当分会わない方がいいかもしれないいな」

携帯の向こうからは、何の反応もない。

「ああいう若い男は何をするかわからない。僕はとばっちりを受けるのはごめんだからな。

冷たい言い方かもしれないけれど、君たちは同棲までした仲なんだろう。君たちでちゃんと片をつけてくれ」

「怒ってるの？……」

「怒ってはいないがとまどってる。どうしてこんなことになったのか、見も知らぬ若い男に脅されなきゃいけないのか、正直言って腹が立つよ」

「ごめんなさい。もう終わったことだと思って言わなかったの」

「君くらい頭のいい女が、どうして後始末をちゃんと出来なかったんだろうか」

昼の嫌な記憶が甦ってきて、つい強い口調になる。

「とにかくしばらくの間、会うのはやめよう。それからどうするかは、もうちょっとたってから考えようじゃないか」

「あのちょっと待って」

悲鳴のような声が漏れた。自分への未練かと思ったがそうではなかった。

「本当にごめんなさい。私、どうしていいのかわからない。本当に大変なことになってしまった。彼がね、あなたの奥さんに話すっていうの」

「何をだ」

「私と三橋さんとのことよ」

「馬鹿馬鹿しい。そんなことをしていったいどうするつもりなんだ」

「私もそう思うわ。だけどあの人、とんでもないこと言い出してるの。私と三橋さんとのこと、全部奥さんにぶちまけてやるって。えらそうにして、のうのうと生きてるああいう男は許せないって……」

「もういいよ」

このままでは野々美まで怒鳴りつけてしまいそうだ。兼一は辛うじて次の言葉を口にした。

「こちらで何とかする。もう僕のことを心配しなくてもいい。君は自分のことだけ考えていなさい」

「三橋さん……」

野々美は息を吐くようにして言った。

「私たち、これで終わりになるの」

「わからない」

たぶんそうだろう、という言葉をじっとこらえる。これ以上女を傷つけるのは趣味ではなかった。

「私、三橋さんのこと、本当に好きだったの。ううん、今でも大好き。でもね、三橋さんって、いろんなことでものすごく用心深くなっている。だから私、ずっと自分の気持ちを抑えてた。好き、好き、愛してる、って言えば引かれるから、ずっと我慢していたの。そのことを彼に勘づかれて、怒らせてしまったのよ。ただの浮気だったら、彼はあんなにならなかったと思う。私の本当の気持ちがわかったから傷ついたのよ……」

「もう、いい。もう、いいよ。とにかく切るよ」

ボタンを押したとたん、胸の動悸が急に早くなった。いったい何が始まろうとしているのだ。まさか、あの場面が再現されるわけではないだろう。

ドアを開ける。兼一の仕事場は玄関の横にあり、いったん廊下に出てからリビングのドアを開ける。狭い仕事場は居間から離れた位置にあるため、まず声が漏れることはない。しかし兼一は妻に声をかけずにはいられなかった。

「何か、急に冷えてきたな」

「あら、そう」

テレビを見ながら雑誌を読んでいた多恵は顔を上げる。いつもと変わらない表情だ。

「コーヒーでも淹れようか」

「ありがとう」

リビングの椅子にぐったりと腰をかけた。テレビの画面には、何人ものお笑い芸人が並んで騒々しく喋りまくっている。ドラマの時間帯も終わった時間なのだろう。

「明日、早いんだっけ」

「ああ、名古屋へ行く。打ち合わせをして昼飯を食べたら帰ってくる」

「名古屋だったら鰻かしら。ひつまぶしっていうのおいしいらしいわね」

コーヒーをすすりながら、多恵はのんびりとした声を出す。化粧を落としているものの、三十三歳の肌は、蛍光灯の下でも白くさえざえとしている。誰が見ても若く美しい女だ。この女を失いたくないのと問われれば、もちろんだと兼一は答えるだろう。そしてもっと失いたくないものが、ドアの向こう側ですやすやと眠っている。熟睡している子どもの愛らしさといったらどうだ。この世で何ひとつ疑うものがないからあんな寝顔が出来るのだ。もし娘を苦しめたり、悲しませるものが出現するとしたら、自分は断固戦うつもりだ。どんなことがあっても、自分は娘を守らなくてはならない。

「あの多恵……」

コーヒー茶碗をかちゃりと置いた。

「ちょっと困ったことが起こるかもしれないんだ」

「え、何よ」

「実はこのあいだ軍事関係の本を出したんだ。そうしたら右翼の連中からちょっと睨まれてる」

「やめてよ、そんな話」

多恵の顔がたちまち青ざめた。

「あなた、ただの編集者じゃないの。右翼の人が狙うんだったら、著者でしょう。あなたは関係ないじゃないの」

「僕もそう思う。だけどああいう連中に何を言っても通じないからね。実はもう会社の方に来られて、ちょっと脅かされたりしてるんだ」

いったん喋り出すと嘘がぺらぺらと出てくる。その軍事関係の本の話は、同僚が遭った災難である。いま兼一の職場で話題になっていることのひとつだ。

「まさかうちに電話がくることはないと思うが、もし怪しい電話があったりしたら、すぐに切ってくれ。決して相手になるんじゃない。しつこいようだったら、警察に通報しますよ、って言えば相手は黙るはずだ」

「うちはハナもいるんだし、近くの交番にちょっと言っといた方がいいんじゃない」

「いや、いや、もしもの話だ。用心に越したことはないから、気をつけてくれ、っていうことだけだ」

それでもしつこく聞きたがる多恵を残して、兼一はもう一度仕事部屋に戻った。パソコンの前に置いた携帯に、小さなランプがあった。着信履歴を知らせるものだ。ボタンを押すと美季子の名前が浮かび上がってきた。明日かけ直そうかと思う前に、指先が勝手に通話ボタンを押していた。今日ほど心と体がバラバラの日はない。

「もし、もし……」

「あ、ケンちゃん」

「こんな時間に悪かったかな。電話もらったみたいだけど」

「いえ、こっちこそ遅い時間に電話してしまって……」

このあとしばらく沈黙があった。お互いが次の言葉が相手の口から発せられるのを待っていた。やがて美季子が負けて、平凡な時候の挨拶を言う。

「なんかケンちゃん忙しそうよね。この頃、おたくの会社から、新刊がばんばん出ているし」

「みんな僕がやっているわけじゃない」

「そりゃそうだけど……」

また沈黙があった。今夜の美季子は歯切れが悪い。いつもだったら次々とリズミカルに出てくる言葉が、どこかでつかえているかのようであった。

「あの、ケンちゃん。この話していいもんかどうか、すごく迷ったんだけど」

美季子がこういう言い方をするとしたら、美里のことに決まっている。

「あのね、美里はケンちゃんには絶対黙っててくれって言ったんだけど……」

やはりそうだ。

「調子がよくないみたいなの。どうも癌が脊髄《せきずい》の方にまわってしまったらしいわ。それでまた入院っていうことになるらしいの。今度は放射線治療でやっていくみたい」

「放射線治療か……」

深いため息が出た。

「伯父貴がやったっけ。ゲーゲー吐いて、もうこんなつらいことはやめてくれって最後は言って、やっぱり死んでったなあ」

「やめてよ、縁起でもない。美里はまだ若いのよ。いくらでも治るチャンスはあるわよ。放射線治療が効いて、元気になった人なんていっぱいいるんだから」

「そりゃ、そうだけど。それで美里の奴、どんな様子？　かなりまいっているようだった？」

「あの人って、よくわからないところがあるから。ほら、ケンちゃんも知ってるとおり、本当につらいことがあると、じーっと中にためちゃうのよね。今度のこともね、ものすごく冷静なの。そういう運命だったのかもしれないわ、なんて言うのよ」

「よせやい」

怒鳴っていた。今日のすべての怒りを込めて吠えるように言う。

「やめてくれよ。美里はまだ四十二だ。俺たちも四十二だ。死ぬような年じゃないじゃないか。四十二で死んでたまるか。それを運命だなんて。そんな馬鹿なことを言ってたまるか！……美里のやつ、いったい何を考えているんだ。馬鹿野郎！」

「ケンちゃん」

向こう側で美季子が息を呑むのがわかる。

「ケンちゃん、泣いてるの」

「ああ、泣いてるよ」

そう答えたとたん、目から鼻から水が流れてきた。いくらでも涙は流れて、いつしか兼一は嗚咽《おえつ》していた。

「美季子、美里はまさか死んだりしないだろうな」

「大丈夫よ、絶対に大丈夫よ。私たちみんな揃って長生きするんだから」

「だけど、俺ぐらい馬鹿な男はいないかもしれない……。最低の男だな。美里は本当にいいやつだ。美季子も知ってるだろう、大学の時、あいつ、本当にかわいかったもんな」

「そうね。ちっちゃな白い花みたいにかわいかった」

「美里は俺だけを思って、そして結婚してくれたんだ。だけど、俺はそんな美里を裏切って、他に女をつくった。そして子どもが出来たから別れてくれって言ったんだよなあ……」

「ケンちゃん、そんなに自分を責めるのよくないよ。もう過ぎたことなんだし、そんなによくよしてるの、美里も喜ばないと思うよ」

「それだけじゃない……それだけじゃない……まだ終わりじゃない。あのな、聞いてくれるか……」

が、言葉が出てこない。しばらく号泣した。大人になってから、これほど泣いたことはなかった。

「あのな、美季子……。俺、ずっと浮気してたんだ。信じられるか。あんな思いして離婚して、ひとりの女を死ぬほどつらいめに遭わせて。新しい女房と子どもに囲まれて、幸せな暮らししていたはずの俺が、外に女をつくったんだ……月に二、三回はその女のところへ行ってた……若い女とセックスして、うれしがってたんだ……」

「信じられない……」

「そうだろう。俺だって信じられないよ。そして天罰がきた。その女には他に男がいて、今日、その男から脅された。俺みたいなずるい男は許せないとさ。女房に洗いざらい話すそうだ……」

「それって恐喝《きょうかつ》じゃないの」

「そうかもしれない。でもそんなこと、どうだっていい。俺は、今日、自分の馬鹿さ加減がつくづく嫌になってたんだ。そこに美里の話だろ。もうたまらないよ。こんな馬鹿な最低の男のために、美里は人生狂わしたんだ。もし、美里が死んだりしたら、俺はどうしたらいい、どうしたらいいんだよ」

「ちょっとケンちゃん、落ち着きなさいよ。美里が病気になったのはあなたのせいじゃないし、それに美里は死ぬって決まったわけじゃないのよ」

「わかった、ありがとう」

兼一はティッシュを一枚取り出し鼻をかむ。だいぶ落ち着いてきた。

「みっともないこと聞かせちゃったな。仕方ないよな。美季子がこんな時に電話してくるからだよ」

「それで、その脅してる男、どうするつもりなの」

「わからない。うちのやつに本当に話すかもしれない。そうしたら大変なことになるだろうなあ。俺は一度やってるけど、修羅場っていうのは本当に嫌だ。命が削られていくっていう感じがするよ」

「だけどね、正直に言うわ。ケンちゃんっていう人は、そっちの方、そっちの方に自分から向かっていく気がするわ。だってまるっきり懲りてないじゃないの」

「違う、そんなんじゃない」

どう言ったらわかってくれるだろうか。ひとつの現実から目をそむけるために、自分にはどうしても恋が必要になってくるのだ。妻という日常がうとましくなる自分が怖くてたまらなくなる。だから、もうひとりの女の存在が必要になってくるのだ。

「美里のことを報告するつもりだったのに、なんだかケンちゃんの大告白大会になっちゃった」

「悪かったな」

「いや、私の知らないケンちゃんを見たってことかしら。美里のことはいずれ相談するわ」

「ああ、わかった」

「ケンちゃん」

「なんだよ」

「もう一回正直に言わせてもらうわ。あなた、やっぱり相当の大馬鹿よね。見損なった、とまで言わないけど、私、かなり呆れてる」


病院のベッドの空くのを待って、今月末に入院することになりそうです。

このあいだはわざわざうちまで来てくれてありがとうございました。母が年とっててびっくりしたでしょう。父が亡くなった時は、かなりがっくりきていたのに、私がこんなことになって本当にかわいそう。

でもね、あんなに嫌だった放射線治療をすることになって、私、覚悟が出来たっていうか元気が出てきたの。今日も足腰を鍛えようと公園を散歩して、こうしてパソコンに向かっています。

ケンちゃんのこと、ショックといえばショックだけど、いかにもあの人らしいなと、ちょっと笑ってしまいました。彼ってそんなにハンサムじゃないけど、昔からよくモテましたよね。男の人のやさしさっていろいろあるけれども、彼のやさしさって女のいちばん好きな種類のものかもしれません。あの人は、女が強気に出るとちょっと引く、弱くなると男っぽくなるという、そのあたりの呼吸がとてもうまいの。そして何よりも純粋で、自分にも女の人にも正直になろうとするあまり、とんでもないことになってしまうの。

美季子は怒ってたけど、私はあの話を聞けてよかった。そして入院するまでの十日間で、私に何が出来るかをずっと考えています。私はあの人が新しい家庭をつくるために犠牲になった。とことん悲しいめにあった。それならばケンちゃんが、ちゃんとあの家庭を維持してくれないと困るの。もし壊れたりしたら、はじかれた私はいったいどうなるの、私のプライドはどうしたらいいの、っていう感じです。

そう考えているうちに、あの人を私が守ってあげなければいけない、っていう気になってきたのです。そんなのおかしい、ってたぶん美季子は言うでしょうけど、これって嘘偽りない気持ちよ。お願いだから、その男の人のこと、ケンちゃんから聞き出して教えてほしいのです。待っています。美季子ちゃん、とっぴょうしもないお願いなのわかってます。でもお願いよ。私の命をかけてのお願いです。

美里

Ⅳ

「私はもっとふつうに生きるつもりだったのよ」

美里は言った。

「ふつうの女の人みたいに、七十、八十歳まで生きて、ふつうに結婚して、子どもを産んで、やがて孫を抱く。そういう人生をふつうに手に入れられると思ってた。だけど違ってたのよ。どうやら私、もうじき死ぬみたい。たった四十二歳で……」

美季子は目の前の親友を見つめる。美里の目は気味悪いほど澄んでいて、視線はどこか遠くを見ていた。この世界にはない遠い場所。美季子は十年前、八十六歳だった祖母が、亡くなる少し前にこんな目をしていたことを思い出した。おためごかしや、その場の慰めをいっさい拒絶するような目だ。

「癌になるのは、もっと年寄りか、うんと運の悪い人だと思ってた。でも私がなったの。なった頃は、誰もが考えるように、どうして私なのって、いつも思ってた。今だってもちろんこれを運命だ、なんて悟っているわけじゃないのよ。ただ、私、短い一生だったなァ、ウッソーでしょ、っていう感じかな」

ウッソーと言う時、美里は少し口をとがらせた。そうすると美季子の知っている、二十歳の時の美里の顔になった。

「私ってふつうにも生きられなかったし、そうかといって美季子のように、カッコいいキャリアウーマンになったわけでもない。そうすると、私の人生でたったひとつ、まあちゃんとしていたっていうか、ふつうに出来たことって、ケンちゃんと結婚してたっていうことだけなのよね。別れちゃったけど、あれは私のせいじゃないでしょう。あっちのせいだもんね」

「もちろんよ」

「だったらね、何度も言うように、私はケンちゃんの家庭がとっても大切なの。だって私がこんなにつらい思いをして、あっちにあげたものなのよ。だからね、とっても大切なの。おかしな理屈だけど、わかってくれるかしら」

わかるわと美季子は言ったが、美里の言葉はまるで理解出来なかった。自分を捨てた夫と、自分から夫を奪った女が憎い。その家庭などさっさと壊れてしまえばいいと考えるのがふつうではないだろうか。それなのに美里は、兼一のつくり上げた家庭をどうしても守りたいと言うのだ。

「わからなくたっていいの。それがあたり前よ。でもね、美季子ももうじき死ぬってことがわかったら、きっと私と同じことをしたと思う。もうじき死ぬってわかったらね」

あの時の美里に、どうして抗うことが出来ただろうか。だから美季子は、兼一から聞いた、白石というイラストレーターの連絡先を教えたのだ。彼の電話番号を調べるのは簡単だった。インターネットには出ていなかったので、会社に置いてあるイラストレーター年鑑というものを開いた。彼らの最近の仕事とプロフィールが出ていた。その結果、彼が手がけた仕事は、デパートのバーゲンのチラシひとつと、文庫本のカバー二点ということがわかった。これではとても売れっ子とはいえないだろう。彼の同棲していた女、現在は兼一の不倫相手のイラストレーターのページもめくったが、こちらはずっと華やかだ。イラスト集を出しているばかりか、ビールのキャラクターも手がけていた。白石の屈折した心理がほの見えるようだ。

白石のそのページをコピーしたものを手渡して、美季子は尋ねた。

「ねえ、この男に会っていったいどうするつもりなの」

「会って説得するつもりよ」

「馬鹿馬鹿しい」

今度ばかりは遠慮なく笑った。

「だってね、ケンちゃんが何を言っても、まるっきり聞かなかった男よ。とてもひと筋縄じゃいかないみたい。なんていうのかなァ、もう女憎し、相手の男はもっと憎い、っていう状況なのよ。お金も目的じゃない、ただケンちゃんの家庭を壊したいだけっていう、かなりあぶない人なのよ。その男に対してどうして美里が向かっていくのよ。私はあの男の別れた女房ですって、のこのこ出かけていくつもり？　やめなさいよ。そんな馬鹿なこと、まさか本気でするつもりじゃないでしょ」

「大丈夫、なんとかなる」

美里は微笑んだ。

「だって、もうじき死んでいく人間の言うことなら、きっと聞いてくれるはずよ。そうでしょう」

その時、美季子はぞっとして思わず言葉を呑んだ。死への恐怖からか、美里の心はとんでもないところをさまよっているのではないだろうか。

美季子は、イラストレーターの連絡先を調べ上げたことをとっさに後悔した。どうしてそれをわざわざ手渡すために会ったりしたのだろうか。テーブルの上に置かれた社名入りの封筒、「それ、返して」その中に入っている一枚のコピーを取り上げようとした。

「返さない」

美里は古い型のブランドのバッグにそれを入れ、もういち度微笑んだ。その微笑みの奇妙な迫力に美季子は後ずさりするような気分になり、もうそれ以上何をすることも出来なかった。

あれから十日たち、美里からは何の連絡もない。正直なことを言えば、美季子はかなりたかをくくっているところがあった。あのイラストレーターがかなり変わった男だったとしても、見知らぬ女から電話がかかってきて、のこのこ出向くものだろうか。よしんばもし美里に会ったとしても、なにか言いがかりをつけられているか、おかしな脅しに遭ったと思うのがふつうだ。

「どうしても説得したい」

という強い思いを持っていたとしても、美里はすごすご帰ってくるに違いない。

「もうじき死んでいく者の話は、きっと聞いてくれるに違いない」

と美里は言ったけれども、それも美季子に言わせると、かなりわかりづらいロマンティシズムだ。美里の子宮癌がかなり悪いことは知っているけれども、医学はすごい勢いで進歩している。癌で必ずしも死ぬとは限らないはずだ。何よりも美里は四十二歳なのだ。小学校から大学までの同級生の顔を思い出しても、この年齢で死んだ者はいない。四十二歳というのは、若さは衰えかけているというものの、生命のエネルギーは燃えている最中である。死などというものは、まだまだ遠いところにあるはずだった。

いくら癌になったからといっても、美里は少し悲観し過ぎていないだろうか。だからおかしな行動を取る。自分のかつての夫の家庭を守るために、その夫の愛人の、そのまた恋人と対決しようなどというのは、あまりにも荒唐無稽な話であった。

夜の十時過ぎ、美季子は資料を読んでいる。それは久々の地上波での仕事であった。七月の改編で、夕方五時からの情報番組を担当するのである。二十分の枠というのは中途半端な長さであるが、この後に高視聴率のニュース番組を控えていて、あれこれ切り売りしているうちに生じてしまった時間だ。「科学をちょっぴり」というタイトルのその番組は、電気製品のしくみや食べ物による化学反応を調べるというバラエティである。もちろん視聴率など期待出来ない番組であるが、久々のレギュラーで美季子は素直に嬉しい。入社以来、何かと気にかけてくれているプロデューサーからの依頼であった。

「やっぱりこういうの、美季ちゃんにやってもらいたいよ。若いコだとこういう番組は言葉が浮いちゃうから」

というものの、彼はスポンサー対策として、数字の取れる芸能人を用意している。佐倉《さくら》修司《しゅうじ》は四十半ばの俳優で、最近はドラマよりもクイズやバラエティで活躍している。ふつう俳優がこういう番組にばかり出ていると「落ちめ」と思われがちであるが、彼は慶応大学卒業という学歴と甘い顔立ちが受けて、むしろこちらの方が向いているぐらいだ。主婦層をがっちり押さえているので、そうみじめな数字にはならないだろうというのが局側の目論見である。

このレギュラーが決まってからというもの、美季子は足繁く本屋に行くようになった。中学生用の理科の読み物を買ってきて、あれこれメモをしていくのは楽しい。十五年前、ニュース番組のキャスターに起用された時のことを思い出す。会社へ行っても読めたが、新聞は五紙取り、毎朝マーカーを引きながら読んだ。ツテを頼って国際情勢や経済問題の専門家のところへ、話を聞きに行ったのもあの頃だ。

自分の仕事に誇りを持ち、すべての時間をそれにあてても何の悔いもなかった。コートをきちんと着て、まっすぐ前を向き、冬の道を足早に歩いているような爽快感が毎日あった。あれを充実というのではないだろうか。

今、少しずつではあるが、あの時に似た手ごたえを感じ始めている。やっぱり仕事があるのはいい。レギュラー番組を持てるというのはなんて素敵なんだろうと、美季子は思わずにはいられない。

中学二年生の科学の読み物を読み終え、中学生でない証に美季子はハーフのワインボトルを抜く。酒には自信があるが、ひとりで一本空けるのは気がひける。そんな時にこのハーフボトルシリーズをワインショップで見つけたのだ。人気のワインがハーフサイズで揃っていて、思わずダースで買ってしまった。

今飲んでいるのは、美季子の好きなピノ・ノワールのカリフォルニアワインだ。チーズがあったことを思い出し、冷蔵庫の中から出し、切って皿に盛る。そしてチーズを口中に含んだまま、赤ワインの味をころがしていく。

そしてしみじみ幸福だと思った。自分はたぶん結婚はしないだろう。男と暮らすこともないはずだ。確信がある。なぜならひとりでいることが本当に好きだからだ。孤独は時々不安をもたらす。しかしひとりでいることは心底好きだ。この快適さと仕事の爽快さとを知っていれば、女は毅然として生きていくことが出来ると思う。

ある時、女友だちが問うたことがある。

「ねえ、結婚してなくって、平気なの？　年をとったらどうするのよ。両親だってもちろんとうに死んでる。きょうだいなんかあてにならない。夫も子どもも恋人もいない。孤独死なんてことになったらどうするつもり？」

彼女は結婚して二人の女の子に恵まれている。その問いは、どうして自分と同じことをしないのかという疑問から発せられたものだが、決して嫌な感じがしなかったのは、彼女が美季子のことを案じてくれていることがひしひしと伝わってきたからだ。

「ねえ、今だったら間に合うわよ。あなたなんかまだすごく綺麗なんだから。ねえ、ひとりで死んでいくことを考えたら、どんな男とだって結婚出来るでしょう。だってひとりで死ぬって、ものすごく怖くて淋しいことだと思わない？」

「そうねえ」

美季子は考えた。どこか病院のベッドでひとり横たわる老いた自分を想像する。が、それはあまりみじめなことだとは思えなかった。そんな死に方は、いかにも自分にふさわしい。

「死ぬ時って、その人の人生の集大成だから仕方ないわよね。私ってそういう生き方しか出来なかったんだって、いさぎよくみじめさを噛みしめながら死んでいくしかないのね」

その女友だちも、美里と同じ言葉を発したはずだ。

「ミキってどうしてそんなに強いの？　どうしてそんな風に考えられるの？」

自分にもわからない。ただ言えるのは、人間には個性があって、それが死に方にはっきりと表れるということだ。人は他人の個性についてはある程度認めてくれるが、死に方についてはただひとつのことしか信じていない。それはすべての人間が、家族に囲まれて穏やかな死を望んでいるということだ。もちろんそれは望ましい形であろうが、人間すべてがそんな風に死ねるわけでもない。それだったら怖がることなしに、ひとりの死を迎えたいと美季子は思う。そして不思議なことに、人からは嘘だと言われようと、美季子はそんな終わりが決して嫌ではないのだ……。

その時携帯が鳴った。開いてみると「ミサト」という表示が見える。不吉な予感がした。

「もしもし、美里、どうしたの」

「ああ、ミキちゃん……」

ゆっくりとした、夢から醒めたばかりのような声だ。

「私、人を刺しちゃった」

「何ですって！」

「ほら、あのイラストレーターの人よ。あんまり話がわからないようなら、脅してやろうと思って、果物ナイフ持ってたのよ。そしたらやっぱりおかしなこと言うから、刺しちゃったわ……。お腹狙ったんだけど、うまくかわされて肩だった……」

「ち、ちょっと待ってよ。今、どこにいるの。ねえ、どこにいるの」

「その男の人の仕事場よ。今、肩を押さえてうずくまってるわ。血が出てる……」

「救急車、呼んだのっ？」

「今、呼ぼうとしてるんだけど、その前にミキちゃんに知らせようと思って」

「ちょっと、待って。救急車は呼んじゃ駄目。あのね、そこにいる男の人にこの電話渡して！　早く、早くするのよ」

ニュース番組を手がけていたせいで、美季子は救急車を呼ぶことがどういうことになるかわかる。傷害事件とみなされると、ただちに警察に通報されるのだ。

「もしもし白石さんですね」

美季子は叫んだ。

「傷はどうですか」

「全く……、あんたの友だち、気が狂ってるよ。いきなりナイフをふりかざしてくるんだから。だけどなよなよしていて、まるっきり力がないから、なんとかなったけど……。おお、シャツが破れて血が出てるよ。畜生、冗談じゃないよ。すぐに警察に連絡するよ」

「やめてください、白石さん」

職業柄、美季子の声は凜として威厳があったに違いない。向こうで、お前は何者だというような沈黙があった。

「私、ミズホテレビのアナウンサーの柳沢美季子といいます。彼女の友だちです。信用してください。恵比寿なら十分以内に行けます。そのまま待っていてください」

「この頭のおかしい女と一緒にいろっていうの。とんでもない。すぐ一一〇番するよ」

「一一〇番しても、パトカーがくるのに十分はかかります。それよりも私を信じて待っていてください。だってあなたもめんどうくさいことに巻き込まれますよ。恐喝容疑とかいろいろね」

「ふざけないでくれよ。この女がいきなりナイフふりかざしてきたんだぜ。どうして俺が恐喝なんだよ」

「私、テレビ局の人間です。何するかわかりませんよ。いいですね、すぐに行きます。待っていてください。そのままで。あなたもこれ以上、やっかいなことにしたくないでしょう。とにかく待っていてください。それからそこの住所、教えてください。わかりましたね」

最後は警官のような口調になった。そして携帯を切るやいなや、今度は兼一を呼び出す。

「今どこなの、すぐに来て。美里が馬鹿なことをしたのよ。どうしてだかわからない。あの人、ちょっとおかしくなってた。どうしてそれに気づいてあげられなかったのかしら、お願い、すぐに来て」


あの夜のことを、その後何度も美季子は思い出すことになった。男の仕事場兼住居のマンションに着いた時、倒れていたのは美里の方だった。男が暴力をふるったのかと思ったがそうではない。興奮の極致に陥った美里は失神していたのだ。

「この女、本当にとんでもないよ」

タオルで傷口を押さえていた白石が怒鳴った。

「三橋を困らせないでくれ。もし何かあの家庭を壊すようなことをしたら、あなたを許さない、とか言ってナイフを持ち出してくるんだぜ」

兼一からかなりの美男子だと聞いていたが、確かにそのとおりだった。青ざめた顔をし、荒い呼吸をしているさまはまるで映画かテレビドラマの一シーンを見ているようだ。何度か俳優やタレントを見てきたけれども、彼らに混じっても決して遜色がないと美季子は思った。

「この女、三橋の前の女房って言ってたけど本当なの。別れた女房がどうしてこんなことをするんだよ」

「それほど、三橋さんのことを愛してるんじゃないですか」

「冗談だろ」

男の顔が苦痛と苛立ちとでゆがむ。

「自分を捨てた亭主のことを、どうしてそんなに思えるんだよ」

「私にだってわかりません。私にわかっているのは、彼女はこういう方法しか思いつかなかったっていうこと」

「頭がおかしいんじゃないか……」

言いかけて、倒れた美里に目をやる。

「病気なのかな、この女……」

「癌だって聞いてますけど」

「そうだろうなァ。俺の死んだお袋も、治療してる時、こんな風にカアーッと頭に血がのぼってたもんなァ……まあ、お袋の方は、親父の浮気相手のところへ、最後の力ふり絞って会いに行ったっけな。この女と、やることが反対だな」

そこへ兼一が到着した。そこで彼のとった態度は非常に迅速、かつ的確であった。美里のかかりつけの病院にすぐに連絡をし、緊急の措置を仰ぎ、病院搬送のための救急車を頼んだ。

そしてタクシーを呼び、自分で白石を病院に連れていくと言った。もちろん別の外科病院である。

「僕の知り合いのところだけどいいですか。このくらいのケガだったら、自分で歩いていけますよね」

彼は何も答えないまま、立ち上がった。

「君が警察に届けたいというのなら、全く構いませんよ。彼女がこれだけのことをしたんだったら、僕だって受けて立つ覚悟があります。どうぞ、あなたの好きなようにしてください」

「あんたら……」

ややあって白石は言った。

「頭のおかしい奴らばっかりだよ」

「あなただってそうでしょう」

兼一は男の腕を軽くとった。

そして自分に言いきかすように言葉を続けた。

「僕もかつての妻も、確かにおかしいんですよ。だからこんなことをしでかしてしまう。だけどあなたの行動が、僕たちのおかしさに火をつけたんですよ。さあ、好きなようにしてくださいよ。僕はね、妻を捨てた時からもうとっくに世間の常識からはずれているんでしょうね。あなたのおかげで気づいた。お礼を言わなきゃいけないのかもしれないな」

この後、妻にすべてを打ち明けるという兼一を、美季子は厳しく制した。

「本当にそれだけはやめて。美里がどうして何のためにあんなことをしたと思っているの。ケンちゃんの家庭を守るためじゃないの。お願いよ、彼女の気持ちを無駄にしないで頂戴。私が見たところ、あのイラストレーター、すごく気が弱い男よ。たぶんもうおじけづいて、あなたの前に現れないと思う。だからお願い、奥さんに話すのだけはやめて。あなたも美里も、過剰なロマンティストなのよ。過剰なロマンティストっていうのは、破壊主義者になるの。ケンちゃんはそのぎりぎりのところでやってるんだから、絶対に先走ったことをしないで」

そしてすべてが美季子の予想したとおりになった。白石という男は二度と現れることはなかったし、兼一は愛人とも別れた。今のところ彼の平穏な生活はなんとか保たれているようである。

「過剰なロマンティストはよかったな」

あれこれ電話で話している最中、兼一が言ったことがある。

「そりゃあ、そうでしょう。過剰なロマンティストだから、不倫してその相手と結婚する。そしてまた懲りずに不倫する。本当の相手はもっと別にいるんじゃないか、自分はまだ恋が出来るんじゃないかっていじきたなく考えるのが、どうして過剰じゃないのよ」

「全く美季子は厳しいよなあ……」

受話器の向こう側のため息は、わざとらしいほど大きかった。

「美季子みたいな女が、今まで本当に男とつき合ったり、恋愛したりしたなんて信じられないよ」

「それって男が近づいてこないっていうこと」

「違うよ。男を必要としていない、っていうのがミエミエなんだよ」

「そんなことないわよ。さんざん男を追っかけまわして捨てられたこと、何度もあるわよ」

「だけど、それってどれも本気じゃないよ。それが男には見えちゃうんだよな」

言っちゃ悪いけど、美季子って大学の時、あんまりモテなかっただろうと、酔っているのか饒舌《じょうぜつ》になっている兼一は続ける。美季子って美人だし、性格だって悪かないけど、男はどっか引けちゃうんだよな。いつもコム・デ着てさ、髪の毛さあっと長くして、いつも早足で歩いてたよなァ。うちの学校、女はたいていキメてただろ。美里だって、ちゃんと化粧して、髪巻いて、可愛い服着てた。別に男の目を意識してたわけじゃない。あの年頃の女は、ふつうああいう格好するんだよ。だけど何人かは、はぐれてくんだよな。美季子の困ったとこは、別につっぱってるわけじゃない。それはそれでわかりやすいんだけど、変に毅然としてるんだ。なあ、二十歳の女が毅然としてるって可愛くないよなあ。美季子はものすごく可愛くていい女なんだけど、可愛くないんだ。この意味わかるかなあ……。

わかんないわよと美季子は言った。

「私、ケンちゃんと恋人になったことがないから、そういうニュアンス、わかんない」

そりゃ、そうだと笑って電話を切られた。美季子はさっきから見たくてたまらなかった受信メールのボタンを押す。

「昨日はおつかれ！　本当にミキちゃん、お酒が強いね。お酒飲むと色っぽくなって本当にカワイイ！　スタジオにいる時と別人だな。また飲もうね。来月のスケジュール教えて」

メールの相手の名は暗号にしている。世間に名を知られている芸能人だからだ。

V

かつてスチュワーデス好きの男がたくさんいたように、今は「女子アナ」好きの男は世の中に多い。

一度でいいから女子アナと合コンしたい、食事をしたい、という男たちに、当の本人たちはどれほどうんざりしてきたことだろうか。特に最近は女性アナウンサーは、タレントのように扱われることが多い。やれ、下着が透けて見えただの、パンツのヒップのラインがくっきりしていたなどと写真週刊誌に撮られることもあって、これは会社側が強く抗議することもある。といっても、会社側が女性アナウンサーをうまく利用しているのもまぎれもない事実だ。安く使えるテレビタレントと、全く考えていないと言ったら嘘になるに違いない。それだけではなく、スポンサー筋との接待に、人気のアナウンサーを連れ出すこともある。相

手の会社の実力者から、

「いっぺん、おたくのあのコとごはん食べさせてよ」

と頼まれると、断われないのが現状なのだ。

「うちのアナウンサーに、ホステスのような真似はさせないでください」

と、チーフとして美季子は、何度も営業や事業部の男たちに言ったことがあるが、それは無駄なことであった。とんでもない豪華な食事や、自分ではとても行けない場所を用意されると、若いアナウンサーたちは浮き立つのである。

ついこのあいだも美季子は、別の会社に勤める知人から、人気アナウンサーの後輩を、レストランで見かけたという話を聞いた。ミシュランで二ツ星がついたフレンチレストランには、八人ほどの男たちが集まり、彼女ひとりだけが女だったという。

「おじさんたちと名刺交換させられて、ちょっと不満そうだったわね。途中からメールばっかりやっていて笑っちゃったけど」

「まあ、みっともないわね」

美季子は眉をひそめた。

「そんなメールをするぐらいだったら、最初からそんなところへ行かなければいいじゃないの。招待してくれた人たちにも失礼だわ」

「別におじさんたちはいいんじゃないの。ミズホの若い女子アナとごはん食べた、っていうだけで満足でみんなに自慢出来るんだから」

それにしても、と友人は言う。

「男の人って、どうしてあんなに女子アナが好きなのかしらねえ。言っちゃ悪いけど、おたくの若いコ、アナウンサーっていう肩書きがなければ、ただのふつうの綺麗なOLさんよ。それが男の人たちが寄ってたかって、ちやほやしているんだからね」

が、こういう男たちはテレビ界の内部にもいる。知的で美しく、しかも勤め人として組織の中にいて、都合のいい時はOLのふりをする女たち、これは男心をいたく刺激するらしい。タレントやお笑い芸人たちの女子アナ好きというのはもうお話にならないほどで、隙さえあれば携帯を聞き出し、なんとか誘い出そうとする。とはいうものの、彼らは罪がなく、断わればあっさりと引き退がる。後でしこりが残らない。しかし、一度だけ大物のお笑いタレントが、かなりしつこいことをして、これはアナウンサー部の上のものが出てなんとかことなきを得た。

やっかいなのは、俳優やコメンテイターといった類の連中である。自信があってプライドが高い分、微妙に陰湿になっていくのはいなめない。

四十代の俳優、佐倉修司が〝女子アナ〟好きというのはあまりにも有名だ。一緒に仕事をして口説かれなかった女はまずいないだろうと噂されている。

彼は女優出身の美しい妻と、三人の娘がいる。テレビや雑誌で教育論を説くし、時々は講

演もしている。彼のエッセイを読んでいたら、

「自分の美しさを自覚している女は、さもしい」

という一行があった。

「だから、将来、CAとか、女子アナになりたいというような娘にだけは育てないつもりだ」

という文章が続き、美季子は思わずふき出してしまった。自分の娘は女子アナにはしたくないが、女子アナと寝たいという男の心理がおかしいのだ。

こんな佐倉と、どうして関係を持ってしまったのか、美季子はよくわからない。いや、よくわかっているが認めたくないのかもしれない。

男を受け入れたのではない。メールや電話、そして面と向かって口にされる口説き文句を受け入れていたら、つい男とそういうことになっていた、というのが正しいだろう。

「年増にくる口説き文句っていうのは、昔好きだった音楽みたいだわ。あの歌手のCD、どこにしまったっけ、って聞きたくていらいらしてくる。そして聞いたら聞いたで、なんか懐かしくて嬉しくなって、この歌手大好きだった、ってつい過大評価しちゃうのよ……」

そう言って美里を笑わせた。この頃の美里はとても調子がいいようだ。あの事件があった後、しばらく入院していたが、この頃はふつうに出歩いたり買物したりしている。

「緩和ケア、っていうことなんですよ」

自宅にかけた時、美里の妹がこう話してくれた。

「残った人生を苦痛なく、どれほどふつうに過ごすかっていうことを、姉がお医者さんとよく話し合って決めたみたいです。日本は今まで、モルヒネを使うのをためらってたみたいですけれど、最近はこれを使ってくれるところが増えてます。姉もセカンド・オピニオンでいい先生に会えて、今はとてもらくになったみたいですよ」

「それって……」

「ええ、残った人生を出来るだけ苦痛なく過ごそう、っていう治療ですから、ある時バタッていくかもしれない。でもこの緩和措置が効いて、元気になった人もいる。だから絶対希望を捨てちゃダメ、ってお医者さまはおっしゃってます」

そんなことは聞かなかったことにする。目の前にいる美里は明るい表情で血色もいい。だからもうこのまま治るのだと、美季子は信じる。だから美里を笑わせようと一生懸命だ。

「私ね、芸能人とつき合う、って初めてのことでしょう。だからいろいろと気を遣うのよ。写真週刊誌なんかどうでもいいの。なんか、撮られる前に別れる気がするもの。それよりもね、あちらのナルちゃんぶりをどう満足させてあげるかが肝心ね」

美里はおかしそうに微笑む。美里が声をたてて笑うところを見たくて、美季子はついどぎついことを口にしてしまう。

「ほら、ことが終わった後って、男の人ってわりかしぼーっとしてるもんじゃないの。だけどあちらは違うの。まず鏡のところへ行って、こう、こうよ」

髪を直すふりをする。

「それからお腹のあたりをちらっと見るわね。噂には聞いてたけど、これが芸能人とのセックスかって、私、しみじみと思っちゃった。そして私って、今すごい体験してるんだなァ。誰か、口の堅い友だちにさっそく教えてあげなきゃって思ったわけよ」

「あはは、そんなのおかしい」

美里がやっと声を出して笑った。笑い声をたてることが癌にとてもよく効くことを、美季子はちらりと思い出す。

「ねえ、そこまでわかってて、どうしてそんな男の人とつき合わなきゃいけないの。今までのミキちゃんだったら、いちばん嫌いなタイプだと思うけど」

「だから言ったじゃないの、あの口説き文句にやられたのよね。四十女って体がうずく、なんてよくおじさん雑誌には書いてあるけど、違うわよね。体じゃなくて、心が誉め言葉ややさしい言葉を、死ぬほど欲しがってるのよ」

そしておどけて言った。

「私って、結局、淋しかったのかもね」

あははと、もう一度美里が笑う。

「そういうの、ミキちゃんにいちばん似合わない。淋しいから好きでもない男の人とつき合うなんて、いちばんミキちゃんらしくないわ」

「そうかなあ」

「そうよ」

「私さ、結構美里にも言えないような、くだらないことといっぱいしてるよ」

あれは同棲相手と別れた後だ。深酒をしたはずみで、その場にいた男とホテルに行ったことがある。同じ職場の男だったから、次の日どれほど気まずい思いをするだろうと思ったがそんなことはなかった。しばらくしてエレベーターに乗り合わせた時、向こうの方から「よっ」と声をかけてくれた。

「元気してた」

「うん元気」

「また飲もうや」

「また飲みましょう」

と言って別れて、二人きりでは一度も飲むことはない、それだけのことだ。それだけのことは「情事」という。「不倫」でも「恋」でもなく、いっときの快楽にも、ちゃんと名前がつけられているのだと、美季子は何やらおかしくなってくる。

そして佐倉修司とのことは、少し長く続きそうな情事だ。マナーとして愛し合うふりをすることもある。

佐倉はこうささやく。

「ミキちゃんって、やっぱり僕の思ってたとおりの女だったよ。仕事をしている時は、バリバリ出来る、クールな女、っていう感じだけど、二人きりになる時は女の子になる。とっても可愛いふつうの女の子だ。僕だけがそんなミキちゃんを知ってるかと思うと、とってもうれしいよ」

美季子はおかしくてたまらない。おそらく佐倉は、以前年増の女にこう言ってとても喜ばれたのだろう。そして「二人の時は可愛い女の子」と言うのが、彼のセオリーになっているのに違いない。

若いタレントの女の子には、

「君の知的な部分は、僕にはよく見えるよ」

とても美しい女には、

「君の外見に惹かれたんじゃない。君の内面は外見よりもはるかに素晴らしいからだ」

それぞれの女に、それぞれの女がいちばん欲しがっている言葉がある。佐倉はそのことをよく知っていて、ふんだんに投げ与えているのだ。

ここまで彼のことがわかって、それでもこっそり会い続けている自分の心は、そう不思議ではなかった。

女というのは、本当に愛しているからその男と寝るものだろうか。

それは違うと美季子は思う。もののはずみということもあるし、何よりも自分の気分が男と一緒になることを望んでいる周期だったりする。佐倉はたまたま、その時期に美季子の前に現れ、口説いてきたのだ。

「もう若い子とつき合うのは疲れるよ」

と佐倉は言うことがあるが、案外これは本音なのかもしれない。さらに彼は本当のことをポロリとこぼす。

「ほら、若い子って、こちらがいろいろ気を遣ってやらなければ満足しないだろう。特にこの頃の若い子は、ちょっと綺麗だとさんざん男に甘やかされているから、ちっとやそっとじゃ納得しない。ああいう子たちの機嫌をとるのは本当に疲れたよ」

佐倉はたまたまそういう時期だったのだろう。しかし彼も活力が満ち溢れれば、若い女を追い求める時が来るに違いない。

「ともかくぼちぼち、長くつき合っていこうよ」

彼の言葉に、美季子はふき出してしまった。

「何、その言い方。まるで茶飲み友だちのじいさん、ばあさんみたいじゃないの」

「いやあ、そういうことじゃなくて、こんなに気の合う相手にめぐり合ったんだから、じっくりつき合っていこう、っていうことだよ」

そう言いながら、佐倉は美季子の髪に手を伸ばす。まだそれほど白髪のないやわらかい髪だ。

「もちろん、体もばっちり合うけどさァ」

佐倉のように遊び慣れた男が、本当に自分の体に満足しているのか。美季子はもう深く考えないようにしている。その最中の男の言葉や、ふとしたしぐさをいちいち詮索していて、どうして四十二歳の女が、男に抱かれることが出来るだろうか。

「ミキちゃん、すごく綺麗だよ」

「最高だよ」

「たまらないよ」

と言った言葉に、ただ素直に酔っていればいいのだ。どんな皮肉屋の女でも、続けて男に抱かれていれば次第に素直になる。素直に男の言葉を信じようとする。そんな風にして、美季子の蜜月は始まろうとしていた。

恋の張りは、次第に表にも現れていくものらしい。モニターをチェックしていても、自分の表情が明るく、華やかになっていくのがわかる。ゲストとのかけ合いも、前よりもなめらかに、とっさに機転をきかすことが出来るようになった。

佐倉と司会を務める地味な情報番組は、安定した数字をとるようになった。スポンサーのえらい人が、この番組をいたく気に入り、このまま続けて欲しいと言ったと聞き、美季子は佐倉と乾杯のワインを交わしたものだ。

こうなってくると、仕事の方も活気が出てくる。プロデューサーから名ざしで、単発の仕事が次々と入ってくるようになったのだ。ナレーションが中心だが、それでもスペシャル番組の司会をふたつこなした。どれもゴールデンからはずれた、地味な時間帯であったが、それでも久しぶりにメインを務めたという嬉しさはあった。

バラエティのチーフである山県《やまがた》から電話がかかってきたのは、その番組の放送直後だ。

「ミキちゃん、この頃いい調子じゃない。レギュラー、数字上がってるし」

「佐倉さんのおかげですよ」

「いやあ、やっぱりミキちゃんみたいな人に仕切ってもらうと、ピシッときまるよね。あーそれでさ、今度の『全国女子アナ秋の大運動会』、ミキちゃんが出てくれない？」

「えー、私がですか」

美季子は大きな声をあげた。この番組は、秋の改編時のスペシャルでここ五年というもの恒例になっている。全国からミズホテレビの系列局のアナウンサーが集まり、いろいろなゲームをするという他愛ないものだ。

「やめてくださいよ。若い子がいくらでもいますから。谷口《たにぐち》はその頃、レギュラーの録《と》りがないですし、川崎《かわさき》なんかぴったりですよ。あの子、大学時代はハンドボールで国体まで行ったんですからね」

入社したての若いアナウンサーの名を挙げる。タレントではなく、アナウンサーが中心になってゲームをする番組は、新人の顔を憶えてもらえるいい機会だ。特に川崎由利《ゆり》は上層部が「ポスト村上未来」を意識していて、積極的に起用するようにという指示が出ている。大きな目の愛らしい顔をしているのだが、体育会系の体と性格のギャップが人気をよぶだろうと、このあいだも週刊誌に書かれたばかりだ。

「それがさー、たまにはミキちゃんみたいなベテランにも出てもらいたいわけよ。系列の子たちって、若いだけが取り柄みたいなのばっかりだから、あんまりしまらないんだよね。ここはキーのおねえさんが出て、ビシッと仕切ってほしいわけ」

「やめてくださいよ。もうそんな年じゃありませんったら」

「大丈夫、大丈夫、いつものとおり、どうってことのないゲームばっかりだからさ」

結局押しきられてしまった。もっともチーフは、美季子ばかりでなく、若く人気者のアナウンサーもひとり求めてきて、美季子はそのスケジュール調整にさっそくとりかからなければならない。

「全国女子アナ秋の大運動会」は、常に二十パーセントはとる人気番組である。もし出れば自分の現役感は強まるはずであるが、そう楽しい仕事ではない。年甲斐もなく、短かめのスウェットパンツをはかなくてはならない。太ももがかなりむき出しになる。それだけではなかった。美季子は「系列」の女子アナウンサーたちが苦手である。

別に性格が悪い、というわけではない。上京してミズホテレビのスタジオに集まる彼女たちは、そこらの新人タレントよりもずっと腰が低く謙虚である。

彼女たちのほとんどは、いやすべてといってもいい、東京のキー局に落ちた過去を持つ。NHK、TBS、フジ、テレビ朝日、テレビ東京、ミズホ、と受けた後、大阪や博多、札幌のキー局を受け、そこも落ちると地方のテレビ局に流れていく。ほぼ同じ顔ぶれのメンバーが、全国の局を受けるために移動するのだ。

そしてやがて東京生まれの彼女たちが、遠い東北や四国、九州で働き出す。地元になじんで楽しい日々をおくっている者もいるだろうが、多くは無念さと淋しさを抱えて生きている。東京のキー局とは比べものにならないような仕事の種類と内容。東京から送られてくる番組の合い間に、地方制作の番組は流れる。セットも出てくる者たちも、比べものにならないほど貧しい。

だから野心を捨てていない女たちは、東京に出ていくことを夢みる。フリーのアナウンサーとして、東京でレギュラー番組を持つシンデレラ物語も、ちらほらと聞こえてくる世界なのだ。

こうした彼女たちが、年に何回か全力を尽くす時がある。系列局のアナウンサーが集められるスペシャル番組だ。女子アナ人気にからんで、安上がりに出来るこうした番組は増える傾向にある。ゲーム大会、クイズ大会、ＮＧ大会……全国ネットに顔と名前を売るチャンスだ。だから彼女たちの張り切りようというのはふつうではない。

ゲームの時は、わざと失敗をし目立とうとする。すっとんきょうな声を出し、変人ぶりをアピールする女もいる。

「なんちゅう女やー」

司会のタレントがいじってくれたりしたらしめたものだ。

「えー、私、そんなに変わってますぅー？」

ぷんと唇をとがらせた、東北のテレビ局のアナウンサーの顔を美季子は思い出す。彼女は今年も出場するのだろうか。ああいう女たちに混じって、楽し気に自然にふるまうのは至難のわざである。

決して意地悪な目で見ているわけではないが、いろいろな局の女性アナウンサーたちが集《つど》っていても、キー局の女たちはひと目でわかる。何千倍という競争を勝ち抜いてきた女たちは、やはりオーラのようなものがあり、美しさがまるで違う。化粧も洋服も垢ぬけている。

そこへいくと地方局の女たちは気の毒で、はしゃいでいるようでどこか緊張しているさまが画面から伝わってくるのだ。

美季子は彼女たちを見るたびに、テレビというものの怖さと不思議さについて考えてしまう。画面に映し出されることで、めきめき美しくなるのは芸能人だけではない。アナウンサーという、いわばふつうのOLとして入社してきた女たちをも変えてしまうのだ。そしてテレビの力には強弱がある。東京のキー局で大きなレギュラー番組を持つ女と、地方の片隅でニュース番組を持つ女との差はあまりにも大きくて、残酷といってもいいぐらいだ。そして美季子はその残酷さがよくわかる。なぜなら「地方」ということを「年齢」におきかえることが出来るからだ。

四十歳を過ぎた女性アナウンサーは、会社の中で地方局にいるのと同じだ。頑張れば頑張るほど痛々しく見えてしまうのである。

が、こうしてゆううつな気分になっている間にも、収録の日は近づいてきた。

その日、スタジオに集められたのは五つの系列局から二人ずつの女性アナウンサーたちである。衣裳部が用意してくれたものは白いトレーナーと、膝までのパンツだ。おといから生理が始まっている美季子は気が気ではない。中学生ではないのだからまさか失敗はないだろうと思うが、どうして上下こんな白いものを着せるのだろうか。

「柳沢さん、お久しぶりです。今日はよろしくお願いします」

キー局でいちばん年長ということもあり、美季子のところへはみんな挨拶にやってくる。

「あの柳沢さん、昨年入社しました井上奈々《いのうえなな》です。よろしくお願いします」

そう言って背の高い女を押し出すようにしたのは、鳥取ニューテレビの大島真樹子《おおしままきこ》だ。彼女が紹介する若い女の顔と名前に見憶えがあった。確かミズホテレビの三次までいっていた女である。モデルのようなプロポーションのうえに、笑顔がとてもよく、カメラテストでも評価は高かった。それなのに確か専務の面接で落ちてしまったのだ。彼女の無念さはいかばかりだろう。

ミズホテレビに入るのと、地方に流れるのとでは、決定的に差がある。

「井上奈々です。よろしくお願いします」

頭を下げるが、元の位置に戻ったその目は確かに美季子を値踏みしていた。

「この女が、ミズホのアナウンサーなんだ。私といったいどこが違っているの？　私よりどこがすぐれているのよ？」

私にもわからないわよと、美季子は声をかけたくなった。

「そんなことは私にもわからないのよ。私たちを選別し、決めていくのは、えらい男の人たちなんですもの」

しかしまさかそんなことを言うはずもなく、美季子はにっこり笑ってみせる。

「今年はこんなおばちゃんまで駆り出されちゃったのよ。とにかく楽しくやりましょうね。見ている人は、みなさんみたいに若くて綺麗な人が、頑張って動き回るのが見たいんだから」

ＡＤの声がスタジオに響きわたる。

「それではみなさん、ちょっと段どりをやりたいと思います。いいですか。MCがはけまーす。そしたらここに集まってください。まず最初は、ランプ押し競争ということで、走っていってランプを押し、元に戻る、っていうことを繰り返してもらいます。一分の間に、たくさん押せた人が勝ち、ということになります」

えー、たくさん走るのね。女たちが不安そうな大声をあげ、大げさに眉をしかめる。もう競技は始まっていた。

ホイッスルが鳴る。

「全国女子アナ秋の大運動会」の最初のゲームは、ダイヤモンド形の先端に置かれたランプを、一分間にどれだけ消せるのかを競う。

まずは四国のテレビ局のアナウンサーが走り始めた。オープニングでは不自然なほど口角を上げ続けていた彼女であるが、走り始めるとさすがに真剣な表情になる。まだ若いのだろう、ショートパンツから伸びている脚にまるっきりぜい肉がなかった。

「四十三個！」

ジャッジ役の男性アナウンサーが声たからかに叫ぶ。彼女は息を整えるやいなや、再びにこりと口角を上げた。

次は東北からやってきた例のアナウンサーである。男性アナウンサーが、スポーツ実況の口調を真似て、彼女のことをこう紹介する。

「さあ、今年もやってきてくれました。秋田雪国テレビの天然アナ、太田祥子《おおたさちこ》。今年はどんなぼけっぷりを見せてくれるでしょうかッ」

太田と呼ばれた女性アナウンサーは、充分に自分の役割をわかっているようであった。ホイッスルが鳴った後は、わざとらしい演技をする。見えづらい真後ろのランプがつくたびに、

「いやーん」

と甘えた声を出した。そして必死で走っていく。何度かとまどうふりをするため、ついたランプの数は惨憺《さんたん》たるものであった。

「……ねえ……」

隣に立っていた川崎由利が、美季子だけに聞こえる声でささやいた。

「何もここまでしなくても、ねえ……」

と言おうとしているのはすぐにわかった。スタジオの隅で、応援しているアナウンサーたちの表情も、不意にカメラがとらえるから油断は出来ない。入社して間もないというのに、彼女は笑顔のままでそっと悪意を告げる、という技を身につけたようである。

そして由利の番が来た。

「さあ、いよいよミズホテレビが誇るアスリート・川崎由利の登場です。学生時代ハンドボールで国体出場という経歴を生かし、どこまで記録を伸ばすことが出来るでしょうか」

ホイッスルが鳴り、川崎由利が走り出す。ランプがつく方向へ、右左、前、後ろと敏捷《びんしょう》に跳ぶ動きは的確で無駄がない。何よりも表情が素晴らしいと美季子は思った。決して欲目ではなく、他の地方アナたちよりもはるかに可愛らしい。媚びたり、つくり笑いをすることもなく、自然にふるまうことが出来るのだ。キー局のアナウンサーの強みであろう。スポーツウエアを着ていると、いっそう脚の長さが目立つが、そう痩せているわけでなく、肩のあたりがっしりとしている。最近珍しい健康的な体格だが、それが愛らしい顔と奇妙な対比を見せている。

「この子は伸びる」

美季子はいつのまにか管理職の目になっている。レギュラーに特番にと、あっちこっちに駆り出され、すっかり疲れきっている村上未来の次を皆が探している、たぶん由利がその座に着くことになるだろう。おそらく今回の出演を機に、何人かのプロデューサーから声がかかるに違いない。

そうしている間に、終了のブザーが鳴り、川崎由利は五十二個という圧倒的な強さを見せた。

「さあ、次はミズホテレビの至宝《しほう》ベテランアナ、柳沢美季子が年甲斐もなく、ランプ押し競技に挑みます。さあ、どんな熟女ぶりを見せてくれることでしょうか」

どこかの放送作家の書いた台本であろうが、意図があからさまだ。若くぴちぴちした女性アナウンサーに混じって、四十二歳の女が恥ずかし気もなく、出てきたということを言いたいのだ。もうこういうことに、それほど腹が立たない。自分がもしゴールデンの特別番組に出られるとしたら、その理由は〝おばさん〟の役割を果たすことだと知っているからだ。

ホイッスルが鳴る。腰を落とし、どの方向にもいける体勢をとった。まず正面のランプが点灯する。すばやく走っていって押す。次は左右、そして後ろ、そして右、ランプはめまぐるしい早さでついていく。傍《はた》で見ているよりもはるかに早い。美季子は、自分の体の動きが前の由利とまるで違うということがすぐにわかった。彼女の場合、リズムにのって、ダイヤモンドの角のところへ自在に跳んでいったのではないか。二十個を過ぎた頃から、下半身がずっしり重くなっていく。動かそうとしても、一瞬間があいてしまう。

後輩の男性アナウンサーが、台本どおり忠実に言っているのだといわんばかりに声を張り上げる。

「だんだん息が荒くなってまいりましたア。大丈夫でしょうか、柳沢美季子アナ、御年四十二歳の体力の限界に挑んでおります——」

足が鈍くなっている。右がついた。今度は前だ。一分というのはなんと長いのだろう。もう最下位になるのはわかっている。ただ早く終わってほしい。今度は後ろだ。急いで振り返り、走ろうとした瞬間、右足をとられた。すすっとフロアを滑る。上半身でバランスをとろうとしたがうまくいかなかった。腰に強い衝撃を感じ、そのまま尻もちをついた。スタジオ中にわーっとわきあがる歓声。心配する声などまるでない。揶揄の叫びに混じっているのは、他の女たちの羨望《せんぼう》の声だ。美季子はうまくやったのである。これがカットされることがなければ、番組でいちばん盛り上がるシーンになること確実だ。美季子は、

「おいしいところ」

をかっさらっていったのである。

あまりの痛さに、美季子は顔をしかめる。今、自分がしなければいけないことは、とにかくゆっくりと立ち上がり、もう大丈夫だとみなに示すことである。

男性アナウンサーは、アドリブでこうつけ加える。

「大丈夫でしょうか。柳沢アナ。おお、ようやく立ち上がりました。やりました。アクシデントにもめげず、けなげに立ち上がりましたァ。御年四十二歳、若いアナウンサーには出来ない、さすがの貫禄であります――」

スタジオにどっと笑い声が起こった。

いことにしたの」

「今度こそ辞める決心がついたの。だからあのくだらない番組のことを、もう今さら恨まな

夜十一時の電話である。兼一は自分の部屋で、ビールを片手に携帯に耳を押しあてている。どこの家でもそうだと思うが、妻は女友だちとの長電話を喜ばない。別に聞かれて困るようなことはないが、不機嫌になられるのがめんどうくさくて、兼一は自分の部屋に入ることにしている。

「まあ、辞めるのはいいかもしれないけど、仕事は大丈夫なのか。この頃は局アナがどんどん辞めて、仕事の奪い合い、って聞いたことがあるぞ」

「そりゃあね、すごい人気のアナウンサーだったら、辞めたとたん、あっちこっちからひっぱりだこで、レギュラーもたせてもらえるでしょうけど、私の場合、この年で辞めたって、そういいことはないのよ」

「前から言ってたよな。私のポジションじゃフリーになっても食べていけないから、ずっと局にしがみついてるって。お前さ、それでいい辞め時っていうのを、かなり逃してたと思うぜ」

「そりゃ、そうだけど、仕方ないわよ。本当に辞めたくなったんだから。自分のことが情けなくって、悲しくって、ひとりになってから泣いたわ。この年の女がさー会社が嫌で泣いたとしたら、もう辞めるしかないでしょう」

「そりゃあそうだけど」

「あのね、前にミズホにいた人が、今度神田に出来るアナウンサー養成学校の校長になるのよ。私に副校長はどうかって言ってくれているの」

「お、副校長か。それもいいかもしれないな。それで給料はどうなんだ」

「そりゃね、ミズホみたいにはいかないわ。やっぱり何のかんの言っても、テレビ局のお給料っていいもの。ケンちゃんの出版社だってそうでしょう。マスコミの人間って、いろんな意味で恵まれていると思う。だからおかしなエリート意識を持ってしまう」

「僕は別に持っていないよ」

「そうかしら……。でもケンちゃんだって、知らないうちに、エリート臭、ぷんぷん出してると思うわ。だってばんばん浮気してるじゃない。一度離婚して、それにも懲りず、また若い子とつき合うっていうのは、自分が特別な人間だと思ってる傲慢さよ」

「まいったなあ……」

怒るか、言いわけしようとしたのだがうまくいかなかった。

「こんな話は、ふつうの電話で話さないか。いったん切ってかけ直すよ。僕は携帯で長電話が、どうしても出来ないんだ」

「いいわ、わかった……」

しばらくしてすぐに会話が始まった。

「やっぱりこっちの電話の方がずっといい。声がはっきり聞こえるよ」

「同じこと、美里も言ってたわ」

「………」

「あのね、美里、また入院したらしいの。どうも肝臓の方にまで拡がっていたみたい。今まで緩和ケアで何とか保《も》ってたけど、今度こそ駄目なんじゃないかって、妹さんは言ってる」

「本当かよ……」

「そうなの、美里のお父さんも癌で亡くなってるのよね。知ってた？」

「ああ、もちろん。結婚して二年後のお葬式だった」

　あの時のことはよく憶えている。親族として美里の隣に座っていた。初めて見る美里の喪服姿は、急ごしらえのアップもあって、あまり似合っているとはいえなかった。看病疲れもあり、痩せてふけた顔つきをしていたのではないだろうか。あの時、ふと自分が死んだことを考えた。何十年後先《あとさき》になるかもわからないが、自分の葬式の時も美里はこうして黒い着物を着て喪主になるのだと兼一は思った。そう考えることは決して嫌な気分ではなく、むしろ安らぎさえおぼえたものだ。いつか自分は妻という女に送られて、この世を旅立っていく。そういうことが夫婦なのだと実感したあの葬式の日、結婚から七年後にまさか別れることになるとはどうして想像出来ただろう。そして美里がこんなに早く逝《ゆ》くことになるなんて、あの二十代の日、ちらっとでも頭をかすめたことがあったろうか。

「僕に何が出来るかな」

「出来るだけ行ってやってよ。今、妹さんとお母さんがかわるがわるつき添ってるわ。半日、病室にいてあげてくれない。そうして美里といろいろ話をしてあげてよ。そうすれば、あの人、どんなに喜ぶか」

「彼女のことを捨てた亭主だぜ」

「いいのよ。それでも美里は、ケンちゃんのことを好きなのよ」

「僕は……彼女にそんなに好かれる理由も、権利もないよ」

「馬鹿ね、好きになるのに、理由も権利もへったくれもないわよ。現にね、私なんか今、すっごくくだらない妻子持ちとつき合ってるわ。自分でもあきれちゃうような相手よ。でもね、そういうものが男と女だから、もうこれはどうしようもないわよね」

美季子はわざと明るく、兼一の心をひきたてるように自分の恋を茶化した。

「ね、お願い。美里のところへ行ってやって。私も昨日行ってきたけど、顔つきがもう変わってた。でも言葉はしっかりしてたわ。だから今のうちに早く行ってあげて。お願いよ」

「わかった。必ず行く。そのくらいのことしてやらなきゃな。美里があまりにも可哀想だ」

「お願い。約束してよ。ケンちゃん」

「ああ、約束だ」

電話を切り、自分の部屋を出た。居間のドアを開けると、多恵がテレビを見ながら何やら縫い物をしているところだった。プリントの愛らしさで、娘の華子のものだとすぐにわかる。小ウサギと小花の取り合わせが、兼一を躊躇させる。待て、ことを荒立てるな。もう少し待てとささやく声がする。しかし、もう時間がなかった。

「これ、学校で使うやつか」

「そうなの。体育の縄とびとバトンを入れる袋が必要になったのよ」

「小学校でバトンやるのか」

「特別授業でやるみたいね。あの学校、そういうことにすごく熱心なの」

「美里がもう危ないようだ」

いきなり言った。

「今、入院してるが、もう退院ということはないらしい。これから暇を見つけて行ってやるつもりだけれど、そういうことだ。おかしな邪推はしないでくれ」

「邪推って何よ」

多恵が睨む。その目がくっきりと憎悪に充ちていることに兼一は驚かされる。もうじき死んでいく者に対して憐憫《れんびん》はあったとしても、まさか憎悪を抱くとは思ってもみなかった。

「私が何を邪推するのよ。もお、私を悪者にするのはいい加減にしてよ」

「ほら、そういうのが邪推っていうんだ」

「もう、たくさん！」

多恵は針のついたままの袋を床に叩きつける。

「あなたと結婚してから、私はずうっと悪者扱いよね。あなたの友だちの、あのアナウンサーなんかそうよ。偶然、新宿で会ったことあるわ。私のこと、すごおく嫌な目で見てた。あなたの元の奥さんの親友なんでしょ。そしてあなたの同級生。私のこと嫌うはずよね。私が、あなたたちの大切な友だちの輪を壊しちゃったんだものね。ああ、ごめんなさい、ごめんなさい。私、ずうっとこうやって謝らなきゃいけないわけよね」

多恵は歌うように次々と言葉を吐き出す。舞台女優の長ゼリフを聞いているようだ。何かの扉を開けてしまった。そんな気がした。が、もう時間はないのだ。

「そしてあなたの元の奥さんが死んでく。私はもう一生、言われるわけよね。あの女は人の夫を奪ったって、そして奥さんは可哀想に、悲しみながら死んでいった。あの女さえいなければもっと長生きできたってね」

「多恵、落ち着けよ。そんなこと誰も言ってないだろ」

「言ってるわよ、あなたがいちばんねッ」

多恵はまっすぐに夫の目を見る。化粧を落としているが、肌は蛍光灯の下で白く輝いている。まだ若く美しい女。愛する夫も子どももいる。そんな女が、どうして、何も持っておらず、死んでいこうとする女に対してひとかけらの優しさも与えられないのだろうか。兼一は一瞬多恵のことを憎む。が、それを彼女は見逃さなかった。

「ほら、そんな目で見る！　あなたはね、ずっと私とのこと後悔して、前の奥さんのことが恋しくてたまらないのよ。可哀想、っていう気持ちが強くなって、段々愛情になってるじゃないの。そうじゃなかったら、どうしてあの人のことを、美里って呼び捨てにするのよ。ミサト、ミサトって、ああいやらしい。どうして今さら看病に行くの。ああ、いやらしい」

「多恵、いい加減にしろ」

兼一は怒鳴った。もっと大声を出すところだったが何とかこらえた。

「美里はもうじき死んでいく。お前はこれからも生きていく。だから僕に少しいとま乞いの時間をくれ。それだけのことだ。もう、わめくんじゃないよ。ハナが起きるだろ。これ以上、何か言ったら、お前に本当に失望すると思うよ」

失望という言葉に、多恵はおびえた表情になった。意味はよく理解出来ないが、恐ろしい響きは感じたに違いない。

本当にうかつだった。

アイドル視される人気アナウンサーならともかく、自分は管理職となった四十代の女である。こちらの色恋沙汰に興味を持つ者がいるとは思えなかった。相手の男が芸能人なのだから、もう少し用心をするべきだったかもしれないが、佐倉は常々こう言って自慢していたものだ。

「僕はそこいらのお笑いタレントや、ちゃらちゃらした若いのとは違うからね。他の活動もしてる、大人の俳優なんだから、写真誌が狙うこともないさ。だいいち僕はマスコミにすごく友だちがいる。慶応の同級生で編集長をしてるのも何人もいるんだ。彼らとはしょっちゅう酒を飲んでるし、みんな僕のことを芸能人なんて見てやしないさ。所詮、週刊誌に出るような奴らは二流の芸能人なんだからね」

けれども今日発売の写真週刊誌には、キャップを深々とかぶり、マンションから出てくる佐倉の写真が載っている。玄関のアプローチと前庭に見憶えがあった。あたり前だ。これは美季子のマンションだった。いつ撮られたのかまるでわからないが、後ろの木の様子からして先月のことではないだろうか。

「佐倉修司、熟女アナと熱愛朝帰り」

と見出しがあり、「熟女」という単語は、こう活字になるといっそうおぞましい。今までも見るのも聞くのも嫌な言葉だった。あの運動会の日の「熟女」とアナウンスされた記憶が甦る。四十代の女は、いつもこの言葉で辱《はずかし》められるらしい。

「それで、君のところにも取材が来たんだね」

「ええ、おととい家を出る時に待ちぶせされましたが、噂レベルの話で、そうたいしたことじゃないと思って、広報部通してください、って言ったんです」

「それがさあ、たいしたことだったワケよ」

室長の藤井はこういう時、奇妙に女のような言い方をする。同性愛者の次長の癖がうつったのではと言う者さえいる。

「あのさア、柳沢ちゃんはさ、若い女子アナを監督しなきゃならない立場だってこと忘れちゃ困るよ」

「だからお話ししたとおり、あの日はたまたま佐倉さんに送ってもらって、私が持っている古い映画のDVDをお貸ししたんです。選んでもらう間、部屋に上がってもらいましたがそれだけのことですよ」

それは昨夜佐倉と、電話でさんざん打ち合わせした今回のあらすじであった。佐倉の親友とかいう編集者は、彼をスキャンダルから守ってはくれなかったが、前日に記事のゲラ刷りを送ってくれるぐらいの友情は見せてくれたのだ。

「どうせ君の会社の人たちは本気にしないと思うけど、話のツジツマが合えばいいんだからね」

と佐倉は何度も念を押したものだ。

「うちの若い人たちも、よく写真誌に狙われるけれど、彼女たちは独身だし、相手も独身でしょ。独身者同士の恋愛なんて、そもそも悪いこと何もないわよね。だけどやっぱり既婚者っていうのはまずいよねぇ。芸能人で妻子ある人っていったら、もう色恋話じゃすまないの。局のアナウンサーが何をしてるんだって、世の女の人たちは怒るわけよ」

「ですから、それは誤解で……」

「誤解も何もさ、こんな写真撮られちゃったわけでしょ」

語尾が鋭くなった。室長はここに来る前、局長にこってり絞られていたらしい。

「とにかくさ、柳沢ちゃんがこんなことを仕出かしてくれるとは思わなかったなあ。まるで飼い犬に手を嚙まれたような気分。あなたのような頭のいい女性がさ、どうしてこんなにみっともないことになるの……本当にわからない」

「熟女」という言葉をまた思い出してしまった。じゅくじゅくと、体の奥から汁をしたたらせているような女、腐臭に変わる寸前の、きつい果実のかおりをまきちらしている女、そしらぬ顔をしていても、体はいつも火照らせている、それが熟女と呼ばれる女だ。いい年をしていても、常に男を求めている。その結果が写真週刊誌に撮られることになるのだ。みっともない、みっともない……。写真を撮られたからか、いや、まだ男を欲しがっているというのがみっともないのだ。

「それでね、辞表を出したいっていうんだろ。それはちょっと困るなあ……」

引き止められたがそれは別の理由によるものだった。

「それでね、この写真のことがなかったら、上とも話して今月中に辞表を受理したかもしれない。だけど今は困るわけ」

「それ、どういうことですか」

「だって、今辞められたら、誰だってこのスキャンダルが原因だって思うでしょう。スポンサーにどうやって説明するのよ」

佐倉と二人で司会をつとめる情報番組は次第に視聴率を上げていっている。たぶん今度の出来事で、数字は急激に上がるだろう。視聴者の卑しい好奇心におもねることなど、テレビ局にとって当然のことだ。

「それに今、退職したらどういうことになるか、想像つくでしょう。週刊誌の連中が面白おかしく書きにくるわよ。ミズホがスキャンダルが立った女子アナを追い出したってね。時期が悪かったわよ。辞表を出すとか、つまらないことは考えないでくれよ」

ことのなりゆきに、美季子は声も出ない。ようやく決心して、自分の人生を変えようと思った。現に辞めるつもりで、朝からデスクの整理もしていたところだ。が、思わぬ出来事が、回転し始めた美季子の人生を元に戻してしまったようなのである。

「そんなこと、考えもしませんでした」

「こっちも、こんな写真が出るなんて、考えもしなかった。その後で辞められちゃ困るんだ」

最後は男そのものの声になって、藤井はぷいと横を向いた。その顎のあたりが弛んでいる。

もうあまり画面に出ることはないアナウンサーの顔だ。

「あとどのくらいいればいいんでしょうか」

「それはこっちが決める。君は勝手なことをしないでくれよ」

「私、もう前のような気持ちで働けないかもしれません」

「それでも構やしない。でもとりあえず番組はきちんとやってよね。数字は上がってくるはずだから。とにかくみっともない、ごたごたを起こしてくれなければいいの」

この男から、アナウンス研修を受けた日もあったのだと、美季子は信じられないような思いになる。

VI

「この時期に撮られたのはまずかったよな」

俳優の言った、撮られた、というのは、美季子の部屋から出ていく時の写真だ。

「この時期、ってどういうこと」

「CMで決まりかけたのがあったんだよ。電器メーカー。いちばん主婦層に気を遣うとこだよ」

声が苛立っている。佐倉クラスの俳優にとって、CMは重要な収入源に違いない。

「それは悪かったわね」

美季子は思いきり皮肉を込めて言ったが、男は気づかない。

「仕方ないさ、君のせいでもない。まさか俺のところへ写真週刊誌が来てるとは思わなかったもんな」

「そんなことないんじゃないの。あなたは芸能人だし、人気のある人だし」

これも彼にとっては快い言葉ではないはずである。自分はただの芸能人ではない。マスコミの連中にも友人が多く、決して週刊誌に載ることはないと、彼は常日頃から口にしていたからである。

「そんなことはない。君がミズホテレビのアナウンサーだからだよ」

「えっ」

「女子アナっていうのは、それだけでマスコミの男たちが寄ってくるんだ。女子アナって聞いただけで、彼らはよだれを垂らして、何かおいしいネタはないだろうかと寄ってくる」

「冗談はやめてよ。私を幾つだと思ってるの。そんなことをされるのは二十代のコたちよ。今さら四十を過ぎた女に、女子アナも何もないでしょう」

「いや、僕は今度のことでよくわかったよ。若くないならないなりに、世の中はやっぱり女子アナに興味を持つってことがね」

美季子は佐倉が、密かに〝女子アナキラー〟と呼ばれていることを思い出す。知性を売り物にしている彼にしてみれば、そこいらのタレントでは物足りなかったはずだ。そんな彼がたまたま触手を伸ばしたのが、自分だという事実に今まで気づかなかったわけではない。それなのにどうしてこの男とつき合ったのか自分でもわからない。おそらく相手もよくわかっていないだろう。だからこんな風に苛立ってしまうのだ。

「とにかく君には悪いことをしたよ」

携帯の声が必要以上に耳に響く。俳優をしている男だから、普段でもよく通る声をしているのだ。

「君が会社に居づらいようになったら、それは申しわけない。本当にすまないと思うよ」

男が謝罪の言葉を口にしたら、別れを切り出そうとする予兆である。関係を続けたいと思う男は、こういう時居丈高になるはずだ。

「そんなことないわ。あの記事のおかげで、辞めるのを止められたぐらいよ。スキャンダルで退社、っていうことになれば会社の面目が立たないからですって。それよりも、おたくは大丈夫なの。奥さんの方は、ちゃんと収まったの」

女が妻のことを案じたら、これも別れを切り出す予兆だ。二人はじりじりと、その核心に近づこうとしている。

「まあ、うちの女房はこういうことにいろいろ目くじらを立てる女じゃないけど、いい思いはしていないだろう。まあ、うちのことは心配してくれなくてもいいよ。それよりも、もうしばらく二人きりで会わない方がいいと思うな」

「そうね」

〝しばらく〟は、〝二度と〟という言葉の替わりだということぐらいわかる。

「番組の方は、うちの事務所がうまく話して改編の時に降りるつもりだ。それまではふつうに振るまおうよ。君だって大人だからそのくらいのことは出来るだろう」

「もちろんだわ。それに私の方も、もう長く会社にいるつもりもないし」

そう言ったとたん、不意に大きな深い感情に襲われて美季子は息を呑む。

これで終わりなのだろうか。

未だかつて、こんな風に簡単に恋が終わったことがあるだろうか。男は未練のふりも見せない。執着のかけらも感じられないのだ。これほどくだらない恋でも、もしかすると自分にとって最後の恋かもしれなかった。もう自分は四十過ぎて、男から愛されることなどないかもしれないのだ。これからずっとひとりで生きていくかもしれない。それなのに最後の男から、こんな風にあっさりと別れを告げられたのだ。

美季子は言葉を探す。彼女にしては珍しく演技ということをする。

「これっきりだなんて、とてもつらいわ。私、信じてくれないかもしれないけど本気だったの」

「僕だって、本気だったよ……」

演技だったら男は本職だった。彼の声は低く甘くなり、優しさが籠《こも》っていた。

「美季ちゃんは本当に素敵だったもの。僕は一生忘れないと思うよ。本当だよ」

じゃあ車が来たからと携帯が切られた。美季子はひとり残される。口惜しさと悲しみでしばらく呼吸が出来ない。男が去っていったからではなかった。初めて男に媚びる演技をした。そのことがつらい。もう自分は若くないのだと、どうして自分で確かめることをしたのだろう。

携帯の音がまだ鳴っている。切ったはずなのに、どうしてこんなに鳴るのだろうかと考えて、呼び出し音だということに気づいた。目覚まし時計を見る。六時五分。こんな早朝にかかってくる電話がいいことを告げるはずはなかった。

実家の両親のことを真っ先に考える。四日前に電話で話したばかりだ。なら、あの電話に決まっている。

「すいません、こんな時間」

美里の妹の史絵《ふみえ》だった。

「あの、先ほど姉が息をひきとりました」

「何ですって！」

いつかは来る日だと思っていたが、こんな風に唐突だとは予想もしていなかった。

「どうして！　だって私、先週会ったばっかりなのよ。そんなことあり得ないでしょう。あの時、元気でちゃんと話をしていたわよ」

「私たちも急なことで、何にも手につかないんですよ。昨日もふつうにしていて、夕飯後に急変したそうです……。私たちが駆けつけた時は、もう意識がありませんでした」

「そんな……」

声を出そうとしたら、もう涙でくぐもってしまった。

「私、美里とちゃんとお別れしていないのよ……」

「私も母もそうです。美季子さん、行ったらもう駄目だったんですよオ……」

史絵も激しく泣き出した。今度は美季子がなだめる番だ。

「史絵ちゃん、私、今すぐ行くからもうちょっと頑張って。あなたがしっかりしないと、お母さんがもっとつらくなるわ」

「母は気丈な人ですから、なんとか耐えています。だけど私がもう、本当に、どうしていいのかわからないんですよオ……」

子どものように語尾が上がる。

「わかった、わかった、今すぐ行く。ちょっと待ってて。あの、それから」

念を押した。

「ケンちゃんを連れていっていい。それでも構わないわね。お母さんや親戚の人も大丈夫ね」

「ええ、大丈夫です……。大丈夫だと思います」

ややためらいがあったが、美季子は気にしないことにした。

兼一の携帯にかける。が、応答がない。おそらく寝室以外の場所に置いてあるのだろう。

六時十五分。小さい子どもがいるならば、もう起きている時間だ。美季子は自宅の番号を押した。が、なかなか出てこない。

呼び出しの長さと、相手の不機嫌さとは正比例するものだ。やがて警戒と怒りに充ちた女の声がした。

「もし、もし、三橋ですけど」

美季子は一度会っただけの女の顔を思い出した。かつて兼一が子どもを見せようと取り出した写真には、当然のように母親も一緒に写っていた。子育て中のことでほとんど化粧もしていなかったが、美しい女だということはすぐにわかった。やわらかいカールの髪と甘やかな顔立ちが、男に愛されることに、何の疑問も躊躇も抱かない種類の女だということを表していた。あのやさしそうな女が、今、低いぶっきら棒な声を出す。

「柳沢です。こんな朝早くすいません。ご主人をお願いします」

「はい」

兼一は突然、妻に揺り起こされた。

「電話よ」

「こんなに早く……。誰だろう」

「柳沢さん、あなたの友だちの女子アナ」

「何だって」

居間に向かって走った。兼一はとっさにすべての事態を理解した。

「どうした」

「美里が、さっき息をひきとったって」

「いつだ」

「だからさっきよ」

「そうか。わかった。今すぐ行く」

「私も今すぐ行くわ」

兼一は寝室に戻り、昨日着ていたニットを着、ジャケットを羽織った。靴下を引き出しから出し、ハンカチもポケットにつっ込む。頭の中は空っぽで何も考えていないのだが、体はいつもよりもてきぱきと手順を踏んでいく。そんな自分を、多恵がじっと見つめていた。まだパジャマのままだ。白に小花模様のパジャマは、有名なショップのもので、それは妻をまるで少女のように見せている。

「言ってくれたっていいでしょう」

けれども声は、不貞腐《ふてくさ》れた大人の女のものだ。

「いったい何があったのかって、教えてくれてもいいじゃない」

「美里が死んだんだ」

「まあ」

多恵は哀悼のニュアンスを込めようとしたが、それは失敗だった。

「お気の毒だわ。まだ若いのに」

「とにかく、病院へ行く。もしかしたら自宅に帰ってるかもしれないけど、病院へ行くよ」

「あなたが行かなくてもいいんじゃないの」

「どういう意味だ」

「だって……」

多恵の表情が狡猾になる。どうやったら夫を怒らせることなく、自分の意を伝えることが出来るか考えているのだ。

「だってあなたは、美里さんと別れているんだし……。それもこんな形で……。だから行かない方がいいんじゃないかと思って」

「そういうわけにはいかない」

大急ぎで電気カミソリを使っている洗面所にまで多恵は従《つ》いてきた。

「私、お通夜か告別式に行けばいいと思うわ。もう夫でもない人が、のこのこ行くのはどうかしら」

「のこのこってどういう意味だ」

兼一は妻を睨んだ。思いのほか強い憎悪が込み上げてくる。今まで困惑と苛立ちを感じたことはしょっちゅうあったが、これほど強い憎悪の感情は初めてだった。

「私、世間の常識を言ってんの。別れた旦那がすぐに駆けつけるのはおかしいってこと。あっちの方だって、あなたを歓迎するとは思えないわ」

「美里は死んだんだ」

大きな声が出た。死んだんだ、と発音すると、そのことの大きさが体中にしみてきた。

「美里は死んだんだ。本当に死んだんだ」

「ほら、私をまたそんな目で見る」

多恵は悲鳴のような声をあげた。

「今までだってそうだったけど、これで私は完全に加害者よね。私がいたから、あなたの奥さんは早死にしたっていうことになるのよね」

「よせ、よさないか」

「私、こんなこと言うつもりなかったわ。だけど今のあなたの目、何よ。私を睨んでたわ。この女さえいなければって、心の中で思ってるからよ。私、これからずうっと一生、あなたの奥さんを早死にさせたっていう罪に問われるわけよね。ずうっと、そんな風にあなたに睨まれるのね」

「よせ」

右手が勝手に動き、そこにあるやわらかいものを強く打っていた。キャッと多恵は頬をおさえる。

「どういうこと、どうして私をぶつのよッ。私がそんなに憎いの、許せないの?」

母の大声が届いたのか、娘の華子が寝室で騒ぎ出した。

「ママー、ママー!」

「ハナちゃん」

頬をおさえたまま、多恵はドアを勢いよく開けた。泣いている娘を抱き締める。

「ハナちゃん、ママとこのおうち出ていきましょう。もうこんなところにはいられないわ」

「俺が出ていくよ」

兼一は言った。

「荷物は後から取りにくる。俺が出ていくよ」

タクシーの中で、美季子からの携帯が鳴った。

「あ、今、そっちに向かうところだ」

「私はもう着いたんだけど、ひどい話なの。お母さんがもうちょっと待ってください、って頼んだのにさっさと病室を片づけられたのよ。死んだ人は一刻も早く出ていって欲しいっていう感じなの。それで地下の霊安室にいるの。場所は表示してないから、受付で聞いた方がいいと思う」

「わかった」

さっきの妻との一件でもよくわかった。人が死んだという衝撃と悲しみと、全く別のところで生きている人間というのはいるものだ。

タクシーを夜間通用門に着けてもらい、窓口の男に声をかける。

「すいません、霊安室はどこでしょうか」

「右手のエレベーターに乗って、地下二階で降りて、右手の方に行ってください」

彼はその場所を告げるのにふさわしい、低く暗い声で答えた。

何も貼られていない廊下を過ぎると、やけに明るい電気がついている一角があった。プレートは出ていないが、そこが霊安室らしい。ドアを開けると、ちょうど二人の看護師が出てくるところだった。何かの処置をしにきたのではなく、おくやみを言いにきたらしい。

「ありがとうございました」

頭を下げている部屋の女に見憶えがあった。美里の母親の隆子《たかこ》だった。早く結婚して子どもを産んだので、まだ七十になっていない。背筋がぴんと伸びているところは昔のままだ。

身だしなみのいい女で、髪が乱れていたり、化粧をしていなかったところを一度も見なかったが、今の隆子は皺をむき出しにした素顔に、疲労が濃くにじんでいた。

「まあ、ケンちゃん」

隆子は兼一がかつて息子だった時と同じ言い方をした。

「来てくれたのね。ありがとう、ありがとう……」

「今さら来れる身じゃないんですが、どうしても……」

「わかってるわ。でも来てくれたのね、ありがとう。さあ、美里に会ってやって頂戴」

かつての義理の母の優しさは、何か呆けているような感じだ。現実を認めたくなく、心がふわふわと飛んでいるかのようであった。

線香台とベッドがあるだけの簡素な部屋であった。なりたての死者は、まだ何の装飾を受けることもない。美里は顔に白い布を与えられただけで、病院着のまま横たわっている。その傍《かたわ》らにぼんやりと立っているのは妹の史絵だ。しばらく会わないうちに、かなり老けた。まだ三十代だというのに、髪に白いものが混じり、それを染めようともしないかたくなさに兼一は一瞬ひるむ。その横にいる背の高い老人は、確か美里の伯父であった。彼は小さな目をしばたたかせて、はっきりと咎《とが》める視線で兼一を見た。

反対側に美季子が立っている。とっさのことだったのだろう、白いTシャツに紺色のカーディガン、紺色のパンツといういでたちだ。もちろん化粧っ気はまるでない。美季子は兼一を見て小さく頷き、それでどれほど救われた気持ちになっただろうか。

「さあ、ケンちゃん、見てやってね」

隆子が白い布を取る時、兼一は一瞬恐怖を感じた。美里が恨みに充ちた、苦悶の表情を浮かべていたらどうしようかと思ったのだ。けれども白い顔をした美里は、まるで眠っているようだった。闘病がそう長くなかったせいもあり、頬もそうやつれてはいない。

「ねえ、綺麗でしょう……」

隆子は気味悪いほどねっとりとした声で言った。

「ミイちゃん、ほら、いちばん会いたがっていた人が来てくれたわよ。ケンちゃんがね、ちゃんと会いに来てくれたわよ……」

「やめてください」

兼一は言った。

「僕がどういうことをしたか、知っているでしょう。僕は……どんなに責められても仕方ないことをしたんです……」

美里の死に顔に、若い日の美里の顔が重なる。十八歳の美里、輝くように美しく愛らしかった美里。自分は美里にとって初めての男だった。この女を一生かけて愛そうと本気で思っていたのに、こんな淋しい死に方をさせてしまったのだ。

「美里、ごめんな……」

涙がかたまりとなって喉の奥からこみ上げてくる。急に力がなくなり、兼一はその場に膝を折った。くくっと嗚咽した。

「そんなに泣くなら、女房を捨てなけりゃいいだろ」

冷たい言葉を放ったのは伯父であった。

「ケンちゃん、ちょっと外に出ようよ」

温かい手が伸びてきて、兼一はそれにすがる。美季子に支えられて廊下に出た。冷たいビニール貼りのソファに座り、もう一度両手で顔を覆《おお》った。

どのくらいそうしていただろうか。よくわからない。やがて慌ただしく何人かが霊安室に入っていった。美里の親戚と葬儀屋だ。やがてソファのまわりは遠慮ない相談場所となっていった。

「まずいな、明日は〝友引〟だし」

「斎場はどうだって?」

「何とかなるから」

「大分《おおいた》の英子《ひでこ》さんには連絡した方がいいのかしらねえ」

ケンちゃん、もう行こうかと美季子はささやいた。

「あなたがここにいると、すっごく目立つのよ。私は今から着替えて、ご自宅の方へ行って手伝うけど、ケンちゃんはお通夜か告別式の時にさらっと来ればいいんじゃない」

「ああ、わかった」

「だからケンちゃんも、もうおうちに帰って」

「ああ」

「タクシーが拾えるところまで一緒に行こう」

二人は正面玄関に向かって歩き始めた。

まだ八時前だというのに、病院の外来者は多い。タクシーが次々と停まり、中から人が降りてくる。たとえ人が死んでも、病院の玄関は開き、やがて人で溢れようとしていた。病いを得ていても、人々が集まるところには、健やかな活気があった。

「よかった。タクシー、いっぱい来てるじゃない」

タクシー乗り場に向かおうとする美季子を兼一は押しとどめる。

「あのな、俺、家には帰らない」

「美里の実家へ行くの、でもそれはさ……」

「いや、家に帰らないつもりだ」

「それってどういうこと」

「ま、いろいろあってさ。今から新宿行くよ。会社がいつも使うホテルがあって安く泊まれるから」

「そう……」

美季子は何も言わず、二人別々のタクシーに乗り込んだ。

兼一は行き先を告げると、目を閉じた。このまま眠りの中に入っていけたらどんなにいいだろうかと思う。一筋、二筋、さっきのなごりのような涙が流れていく。

「ケンちゃん、ケンちゃん」

美里の声がする。美里の若い時の声はどうだったかまるで憶えていないのに、それが美里の若い時の声だとわかる。

「どうしてそんなに早く歩くのよ」

第四校舎に行くまでの短い並木道。そこを早足で行くのは、美里に対して少し腹を立てているせいだ。誰かの告げ口で、美里が経営学部の男と映画に行ったと聞かされた。兼一のアパートで、美里はもう何度も兼一のものになっている。それなのに他の男と映画に出かけたことは本当に許せないと思う。だから兼一は怒っているのだ。

「ケンちゃんってば、感じ悪い。いやな感じ」

もの堅い家に育った美里であるが、バブルの時代の波には逆らえず、ルイ・ヴィトンのバッグを持っている。この頃美里がめきめきと美しく垢ぬけているのが兼一は不安でならない。美里がそうなったのは、自分ひとりのせいだと思っていたが、もしかしたら他の男が加わっていたのかもしれないからだ。

「何か感じ悪いわ。ケンちゃんの怒りんぼ。どうしてそんなにつんつんしてるのよ。ねえ、ミキちゃんたちが待ってるわよ。お茶するんでしょ。みんなで夏休みの予定考えなきゃ。ねえ、ケンちゃんってば」

怒っていたのは経営学部の男のことだけではない。恋人になって初めての夏休み。兼一は美里と二人でどこかへ旅行しようと考えていたのに、美里の方で勝手にグループ旅行の計画を進めていたのだ。

あの時、美季子を含めた五人のグループでどこへ行ったのだろうか。そうだ、北海道の函館へ出かけた。あの時、美里はサングラスをしていなかったか。ブランドものの黒いサングラスは、美里をものなれた、大人の女に見せていた。兼一は二人きりになった時、こっそり言ったものだ。

「全然似合わないよ。無理してる感じだよ」

激しく思う。もう一度あの日を取り戻せないものだろうか。不可能だとわかっているが、近づくこと、触れることは出来ないだろうか。

兼一は携帯を取り出し、メールを打ち始めた。

「嫌ならはっきり言ってくれ。俺と一緒に旅に行ってくれないか。そうでもしないと頭がおかしくなってしまう。お願いだ」

やがて着信音がした。「ＯＫ」という文字があった。

兼一が向こうから歩いてくる。それは出発直前のゲート前でもよく目立った。グレイのジャケットに、白いポロシャツとジーンズを合わせている。ふつうのサラリーマンではないとひと目でわかる。マスコミの男の着こなしだ。スーツを毎日着ている男たちは、こんな風にカジュアルが身についていない。

兼一は美季子の姿を見つけ、やあと右手を上げた。その様子にかすかな疲れが見える。美里が亡くなってから一ヶ月がたとうとしているが、その日以来ずっとホテル暮らしをしているとメールで書いてきた。

「考えることがいろいろあり過ぎて、とても家に帰る気になれないんだ」

美季子は白いパンツに、シルクの混じった軽いハーフコートを合わせている。この年になると、ジーンズをよそゆきで着るのは恥ずかしい。ことさらに若さを強調しているような気がするからだ。むしろ男たちの方が、ジーンズを無意識に穿いているような気がする。現に兼一は決して〝若づくり〟というのでなく、ジーンズがしっくりとなじんでいる。それはおそらく、彼の履いている靴のせいだろう。よく磨かれたそれは、おそらく有名なブランドなのだろう。山登りのようなごつい形をしているが革はとてもなめらかだ。美季子はふと、学生時代兼一がいつも履いていたスニーカーを思い出した。他の男の子のそれと違って、兼一のスニーカーは白く洗いたてのようであった。そう、昔から足元にはとてもうるさい男だった。

まだ搭乗には少し時間があり、二人は譲り合ってソファに座る。まるで銀婚式の旅行に出かける中年の夫婦のように。二人は体を寄せ合って座り、しばらく言葉を交わさない。

「よく、休みとれたな……」

ややあって兼一が口を聞いた。

「私が出てる番組は二回撮りしてるし、ナレーションの仕事は都合がつく。二泊するぐらいどうってことないわよ」

「悪かったな……」

「やめてよ。私だって楽しみにしてたんだから」

またしばらく沈黙があった。そうしているうちに、年寄りや子どもなど優先客から乗り込むようにというアナウンスがあった。それを聞いたのをきっかけにするように、兼一が問うた。

「葬式、どうだった……」

「いいお式だったわ。昔の同級生がみんな集まったの。ケンちゃんのことはやっぱり聞かれたわ。市川《いちかわ》君とかレイコが、私のところへ寄ってきて、ケンちゃん、来なかったねって悲しそうに言ったから、まっ先に駆けつけてくれて、ちゃんとお別れしたから大丈夫、安心してって言ったの。そうしたら、みんなよかったーって言ってたよ。レイコなんて涙うかべて、私、それがすごく心配だったのよ、だけど本当によかったたって繰り返してた。昔の仲間って、本当にいいなァ、って思ったわ」

「みんな、俺のこと、最低の男だと思ってるだろうな」

「思ってやしない。ケンちゃん、少し考え過ぎだよ」

美季子はぴしゃりと言う。

「あのね、今どき離婚なんて珍しくないのよ。現に市川君だって二回めだし、ほら、佐伯《さえき》君だって確か奥さんと別れたはずよ。だけどケンちゃんが他の人と違ってたのは、離婚した後で美里が癌になってしまったっていうこと。それはケンちゃんのせいでもなんでもないの。だからもう気にしなくてもいいのよ」

「俺も馬鹿だよなー」

不意に言った。

「函館へ行こうなんて考えるの。行けばつらくなるのわかってるし、また落ち込むはずなんだけど、どこへ旅行したいかって考えると、函館以外のどこでもないんだよ」

「わかるわよ。だってあの時は楽しかったものね」

大学二年生、二十歳の時だ。男の子三人、女の子二人で函館へ向かった。半端な数になってしまったのは、ツーカップルのようになってしまうのを美季子が案じたためだ。兼一と美里は公認の恋人であったからいいとしても、もうひとりの男の子は以前から美季子にそれとなくアプローチをしてきていた。だから男二人、女二人で旅行をすれば、たちまちそんな雰囲気になってしまう。だから美季子は、もうひとりを誘ったのだ。

「男三人、女二人って結構うまくいったわよね。ただ旅館の隣の部屋が、どたんばたんってうるさかったけど」

「そうだな。夜になるとなんかもやもやをもて余しちゃって、野郎だけでプロレスごっこをしたもんな」

いちばんもやもやしていたのは自分だったかもしれない。観光バスから降り、みんなはヤッホーと海をのぞむ高台に向かって駆けていった。兼一はすばやく美里の腕をとりささやく。

「ちょっとだけでも二人っきりになりたいんだよ。美里、俺、もう気が狂いそうだよ」

美里のTシャツの下のふくらみが、目について仕方ない。二人きりになりさえすれば、それに触れたり口に含んだりする権利はもう既に自分は有している。しかしこのグループでいる限りは駄目だ。一緒に旅行しているのに、全く権利を行使出来ないのだ。

「やめてよ、ケンちゃん、手を離して。みんなが見るわ。ねえ、お願い、約束して。みんなといる時はみんなと仲よくしようよ。二人きりの時は、ケンちゃんが大切だけど、みんなといる時は、友だちを大切にしたいの」

あの時の美里の言葉を、どうして一字一句すべて憶えているのだろう。記憶というのは、どうしてこんなに気まぐれで残酷なものなのだろうか。

「美季子、俺が、もしおかしくなったら助けてくれよ」

兼一はうめいた。

「自分でも信じられないよ。苦しむことがわかっているのに、どうして思い出の場所へ行こうとしてるんだろうなぁ、美季子、頼むよ」

「もちろん、私、そのために来たんだから。さあ、行きましょう」

最終案内をし始めた、ゲートに向かって二人は歩き出す。


二十二年前、夏休みの旅行を函館にしたのは、札幌出身の同級生が盛んに勧めたからだ。

「函館っていいところだぞ。映画やテレビのロケに使われるわりには観光地化されてなくてさ、すっごくいいとこだよ。函館に行ってからさ、帰りにうちに寄ればいいじゃん、札幌なんて見るとこそんなにないしさー。初めての北海道なら函館にしなよ」

車で行く、という案もあったのだが、それではあまりにも疲れるというので、学割の利く時期、飛行機にした。美季子にとって、飛行機に乗るのは生まれて初めてであった。実は自分もそうだと兼一が言った時、とても嬉しかった。

「美里の奴って、可愛くないんだよな。高校の時に家族でヨーロッパへ行った、なんて言うんだぜ」

その直後、兼一は恋人のことをいかにも得意気に語ったものだ。とはいうもの、あの頃の学生の旅行というのはつつましいものだ。世の中はバブル景気にうかれていて、女子大生たちでさえ何かしらブランド品を身につけていたというものの、豪華なホテルに泊まったり、タクシーを使ったり、などということにはまるで考えも及ばなかった。

五人が泊まったのは、ビジネスホテルか、夕食がつかない商人宿のようなところばかりだ。みんなの会計を預っていたのが美季子で、とにかく食事を安くあげるために、途中でパンを買ったり、駅では立ち喰いソバにしたものだ。

今、四十代となった二人は、空港からタクシーで市内へと向かう。予想していたことであるが、あの頃と街がまるで違っていたことに驚く。

「実は私、旅番組で一回、五年前に来たことがあるのよ。だけど日帰りだったから、ほとんど記憶にないの」

「俺はあれきりだなあ。札幌に住んでいる作家っていうのは何人かいるから、しょっちゅう出張に来てるけど、函館には縁がなかったなあ」

二人の泊まるところも、東京資本の大きなホテルだ。昔はホテルが全くといっていいほどなく、函館の一流どころといえば、宗教法人の経営するホテルがひとつきりであった。

フロントに近づくにつれ、美季子は自分がとても緊張していることに気づく。

「まさか、そんなはずはない」

唐突な旅行の誘いだった。あまりにも急で思いつめていた誘いだったので、断わることなどまるで出来なかった。このことにいろいろな意味を持たせてはいけないと思うこともあったし、いや曖昧なことをしてはいけない、男が旅に誘ったのなら、覚悟を決めるべきなのだと考える時もあった。

しかしフロントに行って手続きを済ませた兼一は、二つのキーを手にしていた。

「狭い部屋だけどいいよな」

「サンキュー」

ごく快活にキーを受け取った。そして気分はずっと楽になった。

いったん荷物を置いた後、タクシーで倉庫街に出かけた。レストランやガラス工房はもちろん、何軒ものショップが軒を並べている。平日だというのに観光バスが停まり、土産物屋をぞろぞろと人が歩いている。

「すごい人だね」

「昔はこんなんじゃなかったけど」

外から見学出来るガラス工房があるにはあったが、観光のためというよりごく日常的にガラス製品をつくっていたような気がする。

昼どきとあってどこのレストランもいっぱいだったが、少し行ってようやくイカ料理の店に入ることが出来た。イカソーメンがついた定食を二人は頼んだ。生ビールを一杯ずつ飲む。

「前に来た時も、これを食べたような気がする」

「そうだったっけ」

「そうだよ。美季子があんまりケチなことをするから俺たちが何か名物を食べさせてくれって頼んだんだよ」

「まるっきり憶えてないけど」

「あん時はびっくりしたよなア。美季子って案外ケチだって思ったよ」

「だって仕方ないでしょう。みんなのお金を集めてそこから払ってたんだから。それに予算を組んでもさ、ケンちゃんとか市川君って、夜になるとがんがんビール飲むんだもん」

「それはないよ。だって俺は昔、そんなに酒を飲めなかったもの」

「ウソよ。缶ビールを毎晩三本飲んでたわよ。本当に人間って、自分に都合の悪いことはさっさと忘れちゃうんだからさ」

それは嘘だ。兼一も美季子も息苦しくなるほど美里のことを思い出している。コットンのワンピースに白いカーディガンを着ていた。あの時代のことだから、肩に大きなパッドが入っていたはずだ。

「新鮮なイカって透きとおってるんだ」

なんておいしいのと美里は言った。

「イカがこんなにおいしいなんて思わなかった。東京で食べるのとまるで違うわ」

これを食べたら、石川啄木の碑を見に行きましょうよ。私、石川啄木のこと暗くてあんまり好きじゃないけど、あの歌だけは好きだわ。ほら、風車が出てくるあれよ……。

「美里はあの時、すごく楽しそうだったけど、ケンちゃんはちょっといらついてなかった？美里と二人きりになりたい。ちょっとでもいいから二人きりになりたい、っていうのが顔に書いてあったわ」

「だって仕方ないだろ。若かったんだからさ。だけどお前ら、少しも気を遣わなかったな」

「だってさ、美里がそれを望んでなかったもの。ケンちゃんが恋人だってことを、あの時はまだ隠したがっていたのよ」

「どうしてかな、そんなのすぐにわかることじゃないか」

「でも恥ずかしかったんじゃないの」

あの頃、二十歳で初体験というのはふつうか、やや早めだったかもしれない。とにかく美里は兼一とそういう仲になったことが大っぴらになるのを嫌がった。

「カップルになったのをやたら見せびらかして、ふたりで孤立したがる子がいるけど、美里はそうじゃなかった。みんなといる時はグループ単位で考えてた。そこが美里のいいところだったけどね」

「そうだな……」

二人でしばらく歩いた。昔は少し歩けば海が見えたはずであるが、今はビルにさえぎられてしまう。それでも木造の家が何軒か寄り添うように残っている。

「あっ、このポスト」

兼一が声を上げた。今どき珍しい古い型のどっしりとしたポストだ。

「このポスト、前にもここに立って、ここから絵ハガキを出した、美里が出したんだ。たった一週間の旅行なのに、親が心配するから絵ハガキ出さなきゃって言ったんだよ」

言ったんだよォと、兼一は絞り出すように声を上げた。

「だめだァ、やっぱり思い出してしまう。俺、いったい何のために来たんだろう。苦しくなるために来るなんて、全くどうかしてるな……」

立っていることが出来なくなり、兼一はうずくまった。傍を行く人々が不審そうにこちらを見ている。大丈夫、大丈夫と美季子は背を撫でた。

「まだちょっと早かったかもしれないね。でも大丈夫だよ」

どうしたんですかと、ジャンパーを着た若い男が声をかけてきた。

「ちょっと気分が悪くなっただけです。でも大丈夫ですから」

「あれー、あんたさあ、アナウンサーの柳沢美季子さんでしょう」

男は前を歩いていた友人二人にも声をかける。

「ほら、アナウンサーのさー、夕方からの番組の司会やってる人だよ」

たちまち騒がしいことになった。男たちは握手をしてくれ、写メールを撮らせてくれと口々に言う。

「すいません。友人が気分が悪くなったんで今からホテルにすぐ戻りますので」

ちょうど通りかかったタクシーに手を上げた。

「美季子、やっぱり有名人だな……」

乗り込むや兼一がぽつりと言った。本当にそう思っているのでなく、たまたま出会った出来事に興味を集中しようとするのが見てとれた。

「そんなんじゃないわよ。地方に来ると私程度のもんでもちょっと嬉しいのよ。何かしなきゃ損したような気分になるのよ。それだけのことよ」

タクシーがホテルに到着しても、美季子は兼一の腕に軽く手をまわすのはやめなかった。美季子が司会を務める番組は北海道でも流れている。だから自分はちょっとした有名人なのだと思うが、そんなことはどうでもいい。兼一は思っていたよりもはるかに重く暗いものを抱えてしまった。だから何とか早く部屋に送り届けなければとそのことばかり考えている。

部屋に着いた。カードキイを差し入れて部屋に入る。美季子の部屋と同じ間どりで、ダブルベッドがひとつと小さなソファセットが置かれている。

「ケンちゃん、しっかりして」

ソファにすわらせて、冷蔵庫からミネラルウオーターを出した。

「ちょっとこれでも飲んで、気持ちを落ち着けてよ」

「ありがとう」

コップに移し、半分ほど飲んだ。

「駄目だよな、俺って本当に駄目だよなあ……」

顔を両手でおおう、その姿を見ていると、ここ函館に来たのは本当に早過ぎたと、美季子はしみじみと思う。美里が死んでまだ一ヶ月しかたっていない。兼一は荒療治に出たのかもしれないがそれは裏目に出た。溢れ出す美里の思い出に、どうやら収拾がつかなくなってしまったのだ。

美季子は勢いよくベッドカバーをはがした。

「もうちょっとしたらバーに飲みに行こうよ。それまで眠ったら気分がよくなると思うよ」

兼一は立ち上がりベッドに向かった。そして腰をおろしながら、美季子の腕を思いきり引いた。

「あ」

声は出しても美季子は抵抗しない。そのまま一緒にベッドに倒れ込んだ。兼一が拗《す》ねたように叫んだ。

「美季子、俺と寝てくれよ」

「わかった」

兼一は激しく美季子の唇を吸う。そして唇が美季子の生えぎわに移る。そして額から鼻へ向かって、兼一はキスをしながら、ゆるく皮膚を嚙んでいく。まるで獣が甘嚙みをしていくようだ。そして手がせわしなく動き、美季子のカットソーをめくっていく。さっきまでうずくまっていた人間とは思えないほどの早さと強さだ。こうするために芝居をうったのではないかと一瞬思ったほどだ。

けれどかすかに翳りはあるというものの午後の陽ざしはまだ明るい。せめてカーテンを閉めようと美季子は半身を動かす。それを別の意味にとったらしく、駄目だと兼一は強く言った。

「駄目だ。美季子。もう逃げちゃ駄目なんだ、俺たち」

俺たちという言葉が強く心に響く。そうねと美季子はつぶやいた。

「逃げてなんかいない。だってずうっと前からこうしたかったんだから」

それには兼一は答えない。パンツをおろすのにとまどっているからだ。脱がせやすいように、美季子は腰をうかす。しばらくその姿勢でいた。兼一が自分の中に入ってきやすくするためだ。

愛の言葉はなく、兼一はひたすら激しく腰を動かす。何かに向かって怒りをぶつけるようにしばらく上下運動を続けそしてすぐに果てた。

避妊もせず、美季子の快楽を確かめようともしない極めて自分勝手な行為であった。兼一はすぐにそのことに気づいたのであろう。ごめんと、ささやいた。静かに美季子の髪を撫でる。

「美季子、ごめんな。悪かったな……」

「謝るのやめて。いいってば……」

半裸のまましっかりと抱き合った。何も言葉を交わすことなく、そのまま二人はまどろむ。窓からさす光が、夕暮れの濃さを持つ頃、最初に覚醒したのは美季子の方だ。耳元に口を寄せてささやいた。

「ねえ、ケンちゃん。私のこと、好きだった？」

「ああ、好きだったよ……」

兼一は頷く。うっとりと何かを思い出して頷く。

「入学してすぐの頃、コム・デの黒いワンピースを着てた美季子は、本当に綺麗で可愛かったよ。真っ黒な長い髪がさあーっと揺れていたっけ。俺はしばらく見惚《みと》れてたよ」

「それなのに、どうして美里を選んだの。どうして美里にしたの」

「美季子には恋人がいるって聞いたからだ。市川とつき合ってるって聞いた」

「そんなの嘘よ……」

「ああ、嘘だ……すぐにわかったけどもう遅かった。俺は美里を選んで、愛し始めた後だったから……」

「私ねえ……」

真実を語ろうとしたら、なぜか童女のような口調になった。横になったまま喋るからだろうか。

「私ね、ずっとケンちゃんのこと好きだったの。ずうっと、ずうっとよ。ねえ、知ってた？」

「知らなかった」

「嘘よ……それは嘘だと思う。ケンちゃんは知ってたと思う」

「そうかもしれない」

そうだったような気もするし、そうでなかったような気もする。

「私たち、どうして最初からこういう風になれなかったのかな……」

「仕方ないよ。歯車が狂ってしまったんだ。でもこうなったんだからいいじゃないか」

「そうね」

「もう少し眠ろう。とてもいい気持ちだ」

「私も……」

美季子は足元にあった布団を見つけ出し、首までかけた。まるで幼い兄妹のように、しっかりと抱き合う。そして二人は深い眠りに入った。

美季子が目を覚ました時、完璧な夜になっていた。闇の中にベッドサイドの時計が浮かび上がる。時刻は七時四十五分だ。

「ケンちゃん、ケンちゃん、起きて。起きよう」

兼一が起きたらこう言うつもりだった。

「あちゃーっていう感じだよね。若い時は時々こんな風にあちゃーっていう時があったけど、まさかこの年になって起きるとは思わなかった。私も忘れるから、ケンちゃんも忘れようよ。さ、二人で夕飯食べに行こうよ。ね、そうしよう」

けれども兼一は眠ったままだ。肩を軽く動かしてみたがぴくりともしない。よほど疲れていたのだろう、軽い寝息さえたてている。

ベッドサイドのライトをつけた。光を極力弱くする。小さく口を開けて眠っている兼一がいた。彼の寝顔を見るのは初めてだ。生えぎわのところに少し白髪がある。妻も子どももいる四十代の男だ。

もう時間を元に戻すことは出来ない。美里を失ったことで、兼一は青春の記憶を失《な》くしてしまった。もう思い出すことは許されない。だからこんなに苦しんでいるのだ。が、それは耐えなくてはならない。人間、生きている限りは前向きに生きていかなくてはならないのだから。私たちは確実に年をとっている。もう時を取り戻すことは出来ないのだ……。そんなことはわかっている。

不意に思う。もう若くないこと、もう昔に戻れないことはわかっている。しかしこの眠っている男を救いたい。時間が彼をつき放しても、自分は彼のために生きたいと美季子は激しく願う。どんな方法があるのかわからない。しかしこの男を幸福にしたいのだ。そのことがいまいちばんの自分の願いなのだ。

Ⅶ

とても明るい朝だ。

空港のラウンジにあるコーヒーハウスのカップにも、まだ清潔さを持つ陽ざしがまぶしいほどあたっている。

美季子は自分の身に訪れた、いくつかの朝を思い出した。二十一歳の時の初めての朝、ほとんど行きずりの男との朝、長く恋人になることになった男との朝……。強く記憶に残っている朝というのは必ず晴れていて、早くから太陽の光が窓にあたっていた。こちらの照れや恥ずかしさ、嬉しさ、驚き、後ろめたさ、さまざまな感情をさらに増幅させるような強い陽ざしの朝ばかりだった。

白いシャツに卵色のカーディガンを羽織った兼一は、静かにコーヒーをすすっている。

十八歳の時から、二十四年間、ずっと親しい友人であった男。その男と三日間にわたって旅をした。そして何度も激しく愛し合ったのだ。

兼一の裸は何度も見たことがある。数えきれないほど何度も海やプールへ行った。けれども最後の一枚を取り去った裸体と、海水パンツを取り去った裸体とはまるで違っている。二十四年間隠されて見ることがなかったものは、美季子が考えていたよりもずっと雄々しかった。そして兼一はベッドの上で、今までまるで知らなかった別の顔を見せた。ありていに言えば、彼は好色で、体力に溢れていた。二日めの夜には、さまざまな淫《みだ》らなことを美季子に要求したものである。が、その淫らさには切実な悲しみがあった。

その兼一が今、何もなかったかのような顔をして、コーヒーを飲んでいる。朝の光の中で口の両脇に、かすかな皺があるのが見える。美季子はふと、それを指でなぞってみたい欲求にかられた。二晩を共にした自分には、その権利があるような気がし、そう考える自分にぞっとするような嫌悪をおぼえた。一度でもそういうことをしたら、わがもの顔にふるまう女を、自分は今までどれほど軽蔑していただろうか。

そうかといって、兼一は自分の生活圏から追い出すことの出来る男ではなかった。なかったことにして、二人の関係を疎遠にしていく。他の男とでは出来るかもしれないが、兼一とは無理だ。

美季子はやがて恐怖さえ感じる。それは決して後悔ではなく、底知れぬ不安と恐怖であった。

もしかすると自分は、取り返しのつかないことをしたのではないだろうか。二晩の夜と記憶と引き替えに、とても大切なものを失ったのではないだろうか。美里の死によって、自分の中で封印されていたものがいっきにほとばしり出た。自分の心は自分で管理し、熟知しつくしていた領土だと考えていた。それなのにどうだろう、大きな反乱があったのだ。もはやコントロールのきかない事態となり、心は揺れた。大きく左右上下に揺れたばかりでなく、たくさんの言葉を発したのだ。

「欲情にかられた」

というのではない。言葉が魂ごと外に出ていったのだ。だからどうして後悔などということがあるだろうか。ただ美季子は、この後をどうしていいのかわからないだけなのだ。といっても行動を起こさなくてはならない。

美季子は言った。

「ねえ、私、もう一便後にするわ」

「どうして」

兼一はこちらを見る。その瞳の色に昨夜の残滓《ざんし》がある。それを朝日の中で確かめるのはつらかった。

「やっぱりね、一緒に帰っちゃいけないと思うの」

「どうして、美季子が有名人だからか」

このラウンジでも、さっきからちらちらとこちらを見ている人たちがいる。美季子の出演する番組は、こちらの系列局でも流れているのだ。

「そんなことじゃなくてね、やっぱり、一時の感情に流されるのはよくないと思うの」

まわりに聞こえないように、低い声で早口で言う。

「感情に流される、ってどういうことなんだ。僕のことをそんな風に見てるのか」

「ねえ、ケンちゃん、私たち長いつき合いなんだから、もう取り繕うのはやめようよ」

さらに声を低くした。

「私は本気だった。今までしまっていた感情だったけど本気だった。これだけは言っておくわ。だけどね、だからってどうなるもんじゃない。ケンちゃんには、多恵さんがいて、華子ちゃんがいる」

何か言おうとする兼一を、美季子はさらに次の言葉で制した。

「華子ちゃんを悲しませるようなことを、絶対にしちゃいけないの、ケンちゃんは」

「じゃ、どうすればいいんだ。もう元のようにはなれないよ。知らん顔して忘れたふりをする、なんてことは僕は絶対に出来ない」

「忘れなくたっていいわ」

「まさか、もう会わない、っていうことなんじゃないだろうな」

「そんなんじゃない」

静かに首を横に振った。

「ケンちゃん、いまかなり心も体も動揺してる。このままつっ走っちゃ絶対にいけないと思う。だから私たち、しばらく日常生活に戻ろうよ。静かに誠実に生きてみようよ。そうして落ち着いた時、どうしたらいいのか考えようよ」

「美季子の言うこと、よくわからないよ」

「私が言いたいのはね、思い出にひたるのにエネルギーを使うんじゃなくて、それで一生懸命生きなきゃいけないんじゃないかっていうこと。私ももう一度仕事を頑張ってみるよ。そうでなきゃ、もうずうっとこの幻のような中から出られないと思う」

「僕は……僕はどうすればいいんだ」

「ケンちゃんも家に帰って、奥さんと子どもを大事にしてあげて。そうして、それでも私に会いたいと思った時に電話をして。それでいいから」

「もう前のように電話しちゃいけないってことか」

「今のままですぐ友だち始めるのは嘘っぽいよ。私、そんな嘘っこするほど強くもないし、いやな人間でもない」

その時、東京行きの搭乗を告げるアナウンスがあった。

「じゃ、ケンちゃんだけ乗ってね」

「美季子はどうするんだ」

「別に。空港で本買って読んでるわ。すぐに次の便はあるし。じゃーね、とっても楽しい旅行だったわ。いろいろありがとね。サンキュー」

コートを右手に美季子は歩き始める。カートをひきずるのは大嫌いだから、左手に小型の旅行バッグを持っている。兼一はひき止めることはないだろうと思いながらゆっくりと歩く。陽ざしはさらに強くなり、窓際の床に長い影をつくった。


静かに誠実に生きていこう、という美季子の言葉がよく理解出来ないまま、兼一は郊外へ行く電車へと乗った。実家にいる多恵と娘を迎えに行くためである。とにかく今の自分に出来ることは、ひとつひとつのことを丁寧に解決していくことだと思う。まさか函館から帰ってそのまま、というわけにはいかず、家でひと晩すごした。風呂に入り、旅行中のものを洗たくをすると、函館でのことは本当だったのかという思いにとらわれる。あたり前のことかもしれないが、ベッドの上での美季子は、よく知っている美季子とはまるで違っていた。美季子があれほど豊かな肢体を持ち、淫らに動くとは思いもしなかった。そしてその淫らさが、何かの裏返しではなく、まっすぐで明るいことに兼一はたじろぎ、そして負けまいと己《おのれ》を鼓舞したものだ。楽しげにゆったりと、欲望の中で泳いでいるようなセックスであった。それよりも驚きなのはあの言葉だ。十八歳の時から、ずうっと自分のことを愛していると告白したのである。

あれは本当のことだろうか、いや、美季子はベッドの上の世辞や、いきがかりでそんなことを口にする女ではない。むしろ積極的な美季子のその後の態度からみて、それはすべて真実に違いないだろう。

しかし、兼一はその真実の前にたじろぎ、畏怖しているのである。

そして畏怖のあまり自分も口走ってしまった。ずっと美季子のことを好きだったと。そしてこちらの方の真実の重さにも、兼一はとまどっているのだ。

とにかくすべての困惑から逃れるためには、いま目の前にある現実的な困惑に向かうしかないだろう。そんなわけで兼一は妻の実家へと来たのだ。

多恵の両親はまだ五十代で、父親の方は自動車部品会社の役員をしている。格別金持ちというわけでもないが、多恵は少女時代から何の不自由もせずに育った。弟がいて、地方の医大に通っている。当然、兼一との結婚の時はひと悶着あった。

「家庭があるくせに、大切な娘を妊娠させるとはどういうことか」

今にも殴られそうな場面が何度もあり、揚句の果ては兼一の会社に訴える、いや警察に行ってもいいと父親は言ったものだ。

それが華子が生まれてからは、信じられないほど孫に甘い好々爺《こうこうや》となった。兼一が訪ねていくと、寝床で華子に本を読んでいる最中だという。

「二人で本屋に行くのが嬉しくてたまらないの。ごっそり買い込んで、自分で読んでやってるのよ。とろけそうな顔しながらね」

笑う母親の後ろで、多恵はつんとしてテレビに見入っている。ふだんはあまり見ない、お笑い芸人がたくさん出てくるバラエティ番組だ。笑い声が白々しく、そう広くない居間に響いている。母親が気をきかして二人きりにしても、多恵はテレビから目を離さない。

「ハナの学校はどうしてんだ」

「ご心配なく。私がちゃんと電車で送ってるし、帰りも迎えに行ってます」

「だけど、通うのが大変だろ。かわいそうじゃないか」

「別に。学校が遠くなったってそんなにつらいわけじゃないわ。もっと根本的なところでハナがかわいそうなことがあるんじゃないの」

「どういう意味だ」

「だってそうでしょう」

ようやくこちらを見た。しばらく会わなかった間に多恵は少しふっくらしたようだ。実家にいるという安心感が、妻のおもざしをかなり優し気にしている。が、口から吐き出される言葉は、かなり辛らつなものであった。

「だってそうでしょう。あなたにちゃんと家庭を営む気がまるでないんだもの。別れた奥さんのことばっかり考えて、いつもいじいじ後悔ばっかりしている」

「よせ。美里は病気だったんだ。しかも亡くなったんだぞ」

「だけど、美里さんが亡くなったことで、私は永遠の悪役になったのよ。今日だってそうでしょう。ハナがいなければ、ケンちゃんは私を迎えにこなかったはずよ」

そうかもしれないと一瞬言葉が宙にさまよったがすぐに思い返す。美季子の言った「誠実」というのはこんな意味かもしれないとすぐに言葉をつないだ。

「そんなことはないさ。僕にとって多恵とハナは欠かすことの出来ない大切なものなんだ。それはわかるだろう。僕は美里の葬式にも行かなかった。みんなの前に顔を出せないのはわかっていたからね。そのくらい僕は、別れた妻と距離を置いていたつもりだ」

それは嘘だ。美里の死に顔を見たとたんどうしようもないほどうちのめされた。とても葬式に行くことなど出来なかったのだ。しかしそんなことを正直に言うことはないだろう。それは「誠実」ではない。

「えー、お葬式にも行かなかったなんて、それ、どういうこと」

多恵の口調が少し変わったのがわかる。

「だからもう葬式にも行けない関係だったたっていうことだよ。わかるだろう」

「だけど美里さんが死んだ時の、ケンちゃんの目つきったらなかったわ。すごく怖い目で私のことを睨んだのよ。みんなお前のせいだ、彼女が不幸になったのは、みんなお前がいたからだって、すごい目で見たのよ。私、あの目を見た時、もう駄目だって思っちゃったもの」

「それは被害妄想っていうもんだ」

「そんなことないわよ。そしてそのままぷいと病院行ったんじゃないの」

何がおかしいのか、スタジオ中がどっと笑う。ふと記憶が甦る。まずい。真っ白い美里の顔だ。目は閉じられていたが、何か言いたげにほんのわずか唇が開いていた……。兼一は必死で何かと戦う。妻に「誠実」を見せなくてはいけないのだ。

「仕方ないだろ。美季子から電話を貰ったんだ。あの時は動転してしまった。何も憶えていないぐらいなんだ。もし多恵を傷つけたんなら謝る」

謝罪もすべて誠実のためだ。

「だけど美里は死んだんだ。死んだ人間のために、生きてる僕たちがこんなにいがみ合ったり、別れて住むことはないだろ」

ああ自分は美里を裏切っていると思った。自分はなんという言い方をするのだろうか。しかし効果はてきめんで、多恵の顔ははっきりわかるほどやわらいできた。

「本当にお葬式に行かなかったのね」

「ああ、本当だ」

「それであちらのご両親、ああ、お父さんはもう亡くなっていたのね。お母さんとか他の家族の人たちは平気なの」

「美里と別れた時点で、薄情で最低の人間と思われているんだから、今さら何をしたって仕方ないさ」

「そうなの。でも悪いんじゃないの」

「仕方ない。僕にとっては多恵とハナがいちばん大切なんだから」

これ以上「誠実」な言葉はないはずだと、兼一は心を込めて言う。

「それならさァ」

多恵の薄く形のいい唇が動いた。

「それなら、あの美季子さんっていう人と二度と会わないでよ」

「えっ」

「私ね、あなたが美季子、美季子っていうたびにむかむかしてきたのよ。夜中にだって平気であなたの携帯に電話かけてきて、こそこそ喋ってる」

「美里の容体が悪い時だったんだから仕方ないだろ」

「とにかく私、あの人から電話があったりするとぞっとするの。学生時代からのつき合いっていうけど、男と女がべたべた仲よくするのっておかしいわ。それでね、美里さんがいなくなると、今度はあの人が美里さんの替わりに、うちをおびやかしそうな気がするのよ」

妻の勘のよさに兼一はしばらく声も出ない。

「とにかくあの人とつき合いを絶って。女子アナだからって、ちゃらちゃらして自信もってるやな女よね。もうあの人と友だちづき合いもやめてよ」

「そうはいかないよ。学生時代からのグループだったんだ」

「その中に美里さんもいたんでしょ。だからあなた、いつまでも美里さんのことをひきずっていたのよ。今だから言うわ。あの美季子っていう人が、いつも美里さんの替わりをしてた。美里さんの伝言ことづけて、先まわりして美里さんにこうしてくれとあなたに頼んでた。あの美季子っていう人とつき合う限り、うちにはいつも美里さんの影があるの。わかった？　あの人とつき合いを絶たない限り、私とハナは家に帰らないわ」

「考えさせてくれ」

「考えさせてくれって」

多恵は悲鳴をあげた。

「そんなに悩むことなのかしら。どうしてそんなに考えなきゃいけないの。いくら長い友だちだっていっても、あっちはアカの他人なのよ。私とハナを比べられるわけないでしょ。私は精いっぱいの譲歩をしたのよ。それなのにどうしてそれが聞けないっていうの。あなた、おかしい、おかしいわよ。絶対にヘン」

テレビの音に混じって、娘の声が聞こえてくる。

「おじいちゃん、嘘だよ。そんなネコいるわけないじゃん。嘘っこで本読んじゃダメ」

もう駄目だと兼一は肩を落とす。こんないとおしいものを知ってしまった。以前、多恵のために妻を捨てた、あの時の多恵の何十倍も娘の存在は大きい。娘のためならば、自分はどんなことも受け入れなくてはならないのだ。どれほど理不尽なことであろうと、娘のためにはすべて耐えなくてはならない。

「わかったよ」

兼一は言った。

「多恵の望むとおりにするよ」

美季子は月島の商店街に立っている。目の前ではハンディカメラがまわっている。そしてそのレンズに決して入らないように、若い音声さんがマイクのさおをこちらに向けている。

「柳沢美季子です。今日は話題の街、東京月島にお邪魔しています。このように高層マンションが立ち並ぶところになりましたが……」

さっきの打ち合わせどおり、後ろをふり向き建物をさした。

「今でもたくさんの下町情緒が残っているところと知られています。今日はそんな下町月島の楽しさをご案内しましょう」

はい、カットとディレクターが言い、カメラはいったんそこで止まる。そして美季子たちは次のもんじゃ焼きの店へ向かって移動を始める。

冬の海風はむしろ清々しい冷たさだ。それを頬に受けているととても気持ちいい。この風や、街の空気をどうやって伝えることが出来るだろうかと、そのことばかり考えている。おといのことは、仕事をしているうちに自然と遠ざかっていく。

アナウンサー室長から相談を受けた。今年入社したばかりの倉橋真葉《くらはしまは》を次の改編の目玉にしたい。リニューアルする情報番組のサブキャスターに抜擢するというのだ。

「それは無理だと思いますよ」

美季子は強い口調で言った。

「彼女はまだ訓練が出来ていません。もともと滑舌もよくないし、日本語自体もあやふやだった……」

後の言葉は呑み込む。これ以上言わなくてもわかってくれるはずであった。真葉は最近のアナウンサーの条件のような帰国子女で、確かニューヨークで高校二年まで暮らしていたはずだ。帰国子女枠で上智に入り、これもよくある話であるが、在学中にミス・ソフィアに選ばれた。その頃から美貌は際立っていたらしく、マニアの間では、

「いずれどこかの局に入るだろう」

と噂されていたらしい。

そのためミズホテレビに内定してからも、いろいろなマスコミに載った。卒業式の時の袴《はかま》姿は、写真週刊誌にも大きく出て美季子は内心呆れたものだ。

女子アナがまるでタレントのように扱われるのは今に始まった話ではない。しかし入社した時から始まっていた取材合戦が、なんと大学卒業式に早まっているのだ。袴姿の真葉はさすがに美しく、他の女子大生とはまるで違っている。早くもテレビに出る人間が持つ輝きを放っているのだ。

「いつのまにか真葉ちゃんのまわりには人垣が出来、他の卒業生とも気さくに記念写真に応じていた」

と記事にはある。

これで本人が舞い上がらない方がおかしく、真葉は入社してからも何やら腰が落ち着かない。先輩アナウンサーが責任を持って行なう技術指導も、決して熱心とはいえなかったはずだ。

とはいうものの、人気女優の誰それにそっくりという容姿をプロデューサーたちが見逃すはずもなく、

「新人アナの倉橋真葉でまーす」

という前置きもうけて、あちこちのバラエティに何度も顔を出していた。おかげで人気もウナギのぼりになっている。

「だからっていって、いきなりサブキャスターってどういうことなんでしょうかね」

思わずため息が出た。

「今さらこんなことといっても仕方ないけど、これだったら、アナウンサーの技術なんて何も必要ないじゃないですか。タレントと違って安く使える女の子が必要ならば、別の育て方をすればいいんだわ」

「まあ、そうは言ってもね、倉橋君も仕事しながら、学んでいくことがあるだろうし」

「それにしても、あの喋りのレベルで、サブをやらせることは反対です。未完成品をお客さまのところへ届けるようなもんじゃないかしら。もし、アナウンサー業に誇りっていうものがあったら、こんなことは出来ないはずですよね」

「そんなことは百も承知だ。だけど上には上の思惑がある。入社したての倉橋君をサブに据えれば、大抜擢とマスコミが書きたてる。大宣伝になるはずだ。もし倉橋君がコケたらコケたで、次の子が誰になるかまた話題になる。上の方はそこまで見越してるさ」

といっても、アナウンサーの未来まで見越したわけではないだろう。技術や能力もないアナウンサーが、大役を担ってどれほどの醜態をさらけ出すか、そのことがどれほど本人の未来を閉ざしてしまうか、上の連中は考えたこともないに違いない。

が、もうそんなことに、くよくよと思いわずらうのはよそう。自分はこの与えられた仕事をひとつひとつ丁寧にこなしていくだけなのだ。レギュラーのBS番組が終了したと同時に倉橋がサブキャスターをつとめる新番組の中で、美季子は小さな旅のコーナーを受け持つことになった。始まってすぐ新聞の投書欄に、

「アナウンサーがとても感じよくまわりの人たちに接し、話を聞き出すのもさすがと思った。落ち着いて見ることの出来るとてもいい番組です」

という短文が載り、それがきっかけでもないだろうが瞬間視聴率も少しずつ上がっている。

美季子はこの頃、また勉強したいと思うようになった。こういう旅の番組をやっていると、自分に歴史の知識がいかにないかを思いしらされる。どんな土地にも物語があり、そこに街がつくられた必然性がある。そのことを知っていたら、コメントひとつにもどれほど命が通うことだろう。

来年から大学院へ行きたい。確か母校は、卒業生を別枠で受け入れてくれているはずだ。美季子はそのことを考えると胸がはずむ。兼一に言った「誠実」という言葉に少しずつ近づいていくような気がするからだ。

兼一からは連絡がない。けれども美季子は信じている。彼が苦しみ悩みながらも、決して自分から遠ざかっていないことをだ。彼がどれほど〝誠実〟な人間か、自分ぐらい知っている者はいないだろう。

Ⅷ

突然手紙が来て、さぞかしびっくりしただろう。僕が美季子に手紙を書くなんて、初めてのことじゃないだろうか。絵ハガキはたぶん何回か出した記憶はあるけれどね。

やっぱりこういうことは、メールじゃとても話せない。

このあいだ多恵を迎えに行ったら、彼女から条件をつけられた。もう二度と君に会わないでくれというのだ。もちろん多恵は何も知りはしない。ただ、君と僕が会ったりするのは、美里のことを責められているようでとても嫌だというのだ。

そして情けないことに、僕はこの条件を呑んでしまった。仕方ない。なぜならば、そうでもしなければ、多恵は娘を連れて実家から帰ってこなかっただろう。美季子の言う「静かで誠実に生きていくため」には、どうしてもこうしなければならなかったのだ。

僕は美季子に会いたい。どうしようもないくらい会いたい。だけど何度でも言うようにこうするしかなかったんだ。

僕はどうしたらいいんだろうなんて子どもみたいなことを言うつもりはない。今はじっとこの状況に耐えるだけだ。どうかわかってくれ。僕の気持ちはあそこで話したとおりだ。たまにはメールをくれ。いろいろ美季子への気持ちを伝えたいけれども、そんなことをしてもせんないだけだ。美里が死んでから、いろんな罰を僕は受けている。そのひとつだと思って僕は耐えることにする。

私だってケンちゃんに、手紙を書くのは初めてかもしれない。

いや、そうでもないかな、思い出したわ。大学三年の時、ケンちゃん、美里と大喧嘩したでしょう。別れようって言われたって。美里が大泣きしたので、私が真偽を問い質す手紙を書いたことがあったわね。でもケンちゃんは、私に返事を書く前に、美里のところへすっとんでって謝ったんだから笑っちゃうわね。

今度のこと、そんなに特別に考えることないわ。美里が死んだことで、多恵さんもものすごく気持ちが昂ぶってると思うの。責められているような気がする、っていうのもわかります。

ケンちゃんと会えないのは淋しいけれど、私も自分が提唱した『静かに誠実に生きていくこと』を、何とかがんばって実行しようと思っています。

来年大学院を受けようとしていたことは、確か話したことあるよね。それでうちの学校の史学に行こうと思って、竹井《たけい》教授に相談したの。そうしたら竹井先生、何も大学院へ行って、若い子と学ぶこともない、っておっしゃるの。大人ならピンポイントで学ぶことを勧めるって。今のうちの大学院、就職浪人みたいな子ばかりで覇気がないって嘆いてらしたの。竹井先生が親しい教授や、建築家と編集者を集めて『江戸考古学会』というのをやっているんですって。あそこに入れてもらった方が、ずっと楽しくて勉強になるって言ってたわ。何度か私もマスコミで見たことがあるけれど、どこか東京の場所を歩いて勉強するって会だったの。こちらにも興味があるけれど、やはり私はちゃんと学問的に勉強したいっていう気持ちがあるの。来年の受験を考えながら、こちらの方にも入れてもらおうかと思っています。

私は私の方で楽しくやっているから心配しないで、多恵さんと華子ちゃんを大切にしてね。

「それじゃ、柳沢さんの入会を祝って乾杯しましょう」

そこにいた男たちが、いっせいにビールのグラスを上げた。音頭をとる竹井教授は、もう六十近いだろうか。髪がほとんど消滅しているため、年齢よりもずっと老けてみえる。本来は文化人類学が専攻なのであるが、この学問はジャンルが広い。好きな江戸学を半ば趣味的にレクチャーしているのだ。月に二度ほど、東京のどこかを散策する。その後は酒を飲みながら、その土地についてあれこれ喋るのをならわしとしていた。といってもただの飲み会にならないのは、竹井がメンバーを厳選しているためだ。歴史には縁がない職業についている者も、深い知識と江戸に対する情熱を持っている。女性は他に、図書館の司書をしている中年の女性がいるだけだ。

美季子はこんな時、女子アナウンサーという職業をしていてつくづくよかったと思う。たいていの場所で歓迎されるからだ。局の中でニュース番組のキャスターをやっている何人かは、財界や政界の勉強会を幾つも掛けもちしている。たとえさまざまなリスクがあるとしても、女子アナという肩書きはさまざまなところで通用するものなのだ。

「いやあ、実を言うと、僕たちはみんな柳沢さんの大ファンだったんですよ」

いくらか酔いがまわったのか、会の終わり頃、竹井がそんなことを言い出した。

「ほら、『柳沢美季子の小さな旅』をやってるでしょう。あれでこのあいだ深川へ行ってましたよね、あの街が江戸の人々にとって、どういう位置を占めていたか、ちゃんと解説していらした。それもわかりやすい言葉でちゃんと要所をつかんでいた。あれには感心したなあ」

「まあ、ありがとうございます」

美季子は素直に嬉しかった。インターネットではわずかな知識しか得られなかったので、本を何冊か読んでおいたのである。

「よく旅番組でタレントが、江戸時代この町は……って一席ぶつでしょう。だけど台本にそう書いてあるのをただ読んでいるだけだってすぐにわかりますよ。興味もまるでないのがね」

そう言ったのは井上《いのうえ》という建築家である。彼の名前はあらかじめインターネットで調べておいた。最近海外の大きなコンペをとった気鋭の建築家であるが、町おこしにも意欲的で「東京の路地を守る会」の会長でもある。

「僕たちは言ってみれば、江戸のことが好きで好きでたまらない、っていうおじさんの集まりなんですよ。まあ、変わり者が多いかなア……。たとえばこの人は……」

井上は美季子の目の前に座っていた。五十がらみの男を指さした。

「岡田《おかだ》さんっていって、有名な精神科医」

「よろしく」

「はじめまして」

どうという特徴のない顔をしていたが、笑うと白い歯が綺麗だった。この男のことも一応調べておいた。自分でクリニックをやっている以外にあまり聞いたことのない大学の教授もしていらしい。

「老人医療が専門のお医者さんがさ、どうして江戸に興味を持つんだろうって思うとわかんなかったけど、この岡田先生が言うには、江戸の町は年寄りにはやさしかったんだって。長屋で老人が病気になったら、隣近所が寄ってたかってめんどうをみてくれたみたいなんて言うのよね。岡田先生は、自分たちが食うや食わずの貧乏人なのに、どうしてあんなにやさしい気持ちを持てるのかと不思議がってるんですよ」

「江戸っていうのは面白いところで、いわゆる隙間産業がものすごく栄えます。女が少ないところですから、かみさんたちはいろんなことで稼げた。独り者の男のちょっとしたつくろいものをしたり、晩飯の仕度をしたりして、小遣い稼ぎをしていたんです。当然、頼まれれば年寄りのめんどうをみていました。億劫《おっくう》がらず、大げさにもしないで、ちょいと年寄りのめんどうをみて少々のものを貰う。現代のヘルパーより負担のかからない、いい関係が江戸時代にあったって、とても興味深いことだと思いませんか」

こういう話を飽きることなく、何時間でも話していく。美季子は専ら聞き役にまわったが、男たちの話を聞くのは楽しかった。

「岡田先生も、江戸時代だったらよかったかもしれませんね。家政婦代でヒイヒイしなくてもよかった」

誰かが不意に言った。

「えっ」

意味がわからない美季子に、井上が解説する。

「岡田先生は男やもめなんですよ」

「あ、バツイチってことですよね……」

「いや、僕の場合は妻と死別ですから、ずっと格が上です。バツイチなんていう下品なものとは比べものになりません」

岡田があまりにも真面目な顔で言うので、美季子はどう答えていいのかわからなくなってしまった。

「すいません……。立ち入ったことをお聞きして……」

「いや、もう五年も前のことになりますから、もう忘れました、って言いたいけれど、それも嘘になるかもしれないなア。ところで柳沢さんって結婚してるんですか」

「いいえ、ひとり身です」

「そうかあ、じゃ、わかってもらえないかもしれないけれど、夫婦っていうのは分身ですからね。仲がよくても、よくなくても、長いこと一緒に暮らせば分身っていうものになるんでしょうね」

「そういう風に思えたら、幸せですよね」

「その代わり、相手がいなくなると、手も足も出ません。全くどうしていいのかわからなくなるんです」

いつのまにか皆の話の輪から、二人ではずれていた。

「わかるような気がします。最近、私の知り合いでも奥さんを亡くした人がいて、いえ、彼の場合は別れた奥さんなんですけれど、とても落ち込んでいます」

「そうでしょうねえ。僕もさんざん学校で、配偶者を亡くした者の心理を勉強しました。けれど実際自分がなってみると違うもんですねえ……」

「本当に仲がよろしかったんですね」

「親が田舎で見つけてくれた女です。熱烈な恋愛結婚っていうわけでもなかったけれど、やさしくて我慢強い女でしたね。当時僕は大学病院勤務でしたから、給料も安く毎日毎日病院にへばりついてましたから。まあ、何も楽しいことをさせてやれなかったかと思うと悔いは残りますよ……。あ、いけない、いけない」

岡田は頭をかいた。

「これから結婚するお嬢さんに向かって、あんまり女房が死んだ話なんかしちゃいけない。でも、あなたもいけないんですよ。アナウンサーだから本当に聞き上手だ。そんなしんみりとしたやさしい声であいづちをうたれると、ついぺらぺら喋ってしまいました」

「岡田さんもやさしいわ」

美季子は微笑んだ。

「お嬢さん、なんて言われるの何年ぶりかしら。気持ちがぱーっと華やぎました」

体がどうもおかしい、と思い始めたのは十日ほど前からだ。朝、どうしても起きることが出来ない。睡眠時間は足りているはずなのに、朝、ぐったりと力が抜けて、そのままベッドにへばりついてしまう。

「すごく疲れてるんじゃないの。いろんなことがあったから」

多恵がちくりと皮肉を込めて言う。美里の死からそのあとのことを言っているのだ。多恵に言われるまでもなく、確かに疲労がたまっていると思った。有休をとり、週末もどこにも出かけず、四日間家にいることにした。ＣＤを聞き、本を読み、娘と遊ぶ時以外は体を使わなかった。

それで元気に月曜の朝を迎えられるはずであったが、やっぱり駄目だった。体中の毛穴から、知らぬまに活力というものがすべて奪われているようだ。ぐにゃりとして半身を起こすことが精いっぱいだ。

念のために、いつも人間ドックをしてもらっている医師のところへ行った。

「もしかすると、別のところで診《み》てもらった方がいいかもしれないなア」

最後に医師は言った。

「知り合いの心療内科を紹介しますよ」

「心療内科ですか」

「あなたみたいな働き盛りの人に、心の病いが増えていますから。一度診てもらった方がいいと思いますよ」

「うつ病っていうことですか」

兼一は思わず大きな声をあげた。うつ病のことならよく知っている。自分が手がけた本の中にもうつ病を扱ったものがあり、そこそこのベストセラーになったものだ。数百万人の予備軍がいて、三人にひとりは多かれ少なかれその因子がある……という知識は持っていたが、まさか自分がそのひとりになるとは考えてもいなかった。だいいち何の予兆もなかったのだ。

「そう決めつけることもないでしょう」

医師はこともなげに言う。

「ただ体に原因がない時は、心を診てもらった方がいいっていうことですからね。それに今はいい薬もありますから、とにかく診てもらうことが肝心ですよ」

そして兼一は生まれて初めて心療内科というところを訪れた。驚くほど若い医師は、さまざまなマークシートを記入させた後、とりあえず薬を飲むようにと命じた。

「これでころっと治ることもありますけれどもね。ですが、あまり期待するのもいけませんね」

という意味がよくわかったのは、それから半月後だ。薬を飲んでいるにもかかわらず、ついに朝、起きることが出来なくなってしまった。

「昼から出るから、先に校了紙を読んどいてくれ」

と電話で部下に指示をするのが精いっぱいで、後はぐったりと横になってしまう。食欲もない。子どものように背を丸めて、ひたすらうとうとする。薬はさらに強くなったらしく、昼間寝ている時間がどんどん長くなっている。

「ねぇ、もっといいお医者さんのところへ行ったら」

多恵が心配そうに声をかけた。最初の頃は、うつ病かもしれないと聞いて、露骨に嫌な顔をしたものだ。

「前の奥さんが死んだことが、そんなにショックだったのね」

が、今はそんなことも言っていられなくなったのだろう。自分の父親がよく知っている医師のところへ行けと、しきりに言うのだ。

「ねぇ、今のうちにちゃんと治さないと、大変なことになるのよ。ねえ、ちゃんとしてよ。ハナだってまだ小さいんだし、ちゃんとしてくれなきゃ困るわよ」

「うるさいッ」

妻を怒鳴りつけていた。

「俺がちゃんとしていなかったとでも言うのか。ちゃんとしてたって、こうなる時はこうなるんだ。がたがた言うな」

「ケンちゃんって、違う人になってるわ」

多恵は涙ぐんだ。そして泣きながら怯えた目でこちらを見た。

「ちゃんと自分の顔、鏡で見たことある？　すごい顔してるから」

そんなことはわかっている。朝、洗面所で鏡を見るたびに、自分の顔は変わっていた。頬がそげて、首に横皺が出てきた。そんなことよりも驚いてしまうのが目だ。よく生気を失う、というけれども、人間の目というのは、これほど短期間に力が消えてしまうのか。健康な時には気づかなかったが、目で顔の印象はすべて左右されてしまう。自分がこんな風にどんよりとした目になろうとは考えてみたこともなかった。

自分でもこれほどはっきりわかるのだから、まわりの人間が気づかないはずはない。ようやく出社した時に部長に呼ばれた。社内医を通じて診断書を提出し、しばらく休職しろというのだ。

「最高で一年ゆっくり休める。会社《うち》から、もう五人この病気は出てるから、気にすることはないんだぞ。仕事の方も心配しなくてもいい。とにかくゆっくり休め」

上司にこう言われ、兼一は恥ずかしさのあまり顔を上げられなかった。この二ヶ月、もう少し、もうちょっとと先延ばししていた自分のだらしなさを、はっきり指摘されたような気がしたからだ。

「いや……今、薬も飲んでいますから、あと一ヶ月ぐらいで、ぐっとよくなると思うんですよね」

「まあ、まあ、そう焦るなよ」

このあいだまでしょっちゅう一緒に飲み歩いていた部長は、出来るだけ親身な声を出そうとしていたが、時々表情が裏切ってしまう。何度も怯えた目になってしまうからだ。

兼一の顔つきは、よほど凄惨《せいさん》なものになっているのだろう。

「会社《うち》も出来る限りのことをするから、とにかくゆっくり休むことだけを考えなよ」

「著者はどうしたらいいんですか。担当が替わることをどう知らせたらいいんですかね」

「まだ体力があるようだったら、一筆書いといてよ。別に病気のことを話さなくてもいいからさ」

まるで遺書を書くようだと兼一は思った。

受信メールの中に、兼一のものはなかった。

「会わなくても、時々はメールをしよう」

と言い出したのはあちらではなかったか。

「もしかすると、しっかり踏んぎりがついたのかもしれない」

美季子はひとりごちた。いくら自分のことを忘れないと言っても、兼一は家に帰れば妻と可愛い娘がいる。その妻から、もう二度と会わないようにと言われているらしい。そうなれば、彼はたぶん妻子の方を選ぶだろう。

美季子は過去につき合った、家庭を持つ男のことを思い出した。ああいう男との恋は、最初はもの狂しいほど燃える。男も自分も高揚してしまう。そして男は女を抱いている最中にこう口走ってしまう。

「家のことは何とかする。きっと女房とは別れて君と一緒になってみせる」

その時の言葉に嘘はないだろう。愛する女にこの言葉を捧げるのは、礼儀というものでもある。しかしたいていの男はやがてこう言うのだ。

「妻とは何度でも別れることが出来るけれど、子どもとは別れることが出来ないんだ。わかってほしい」

子どもがいない自分だけれども、その気持ちはわかるような気がする。男にとって子どもというのは、たまらなく貴くいとおしいものらしい。

独身の友人がこう言ったことがある。

「まわりを見ても、子どもが十五歳以下だとまず別れないわね。子どもはまだ可愛いもん。だけど高校生になると話は別よ。急に憎ったらしくなるみたい。子どもが大学生の時に不倫したら、奥さんと別れて恋人と一緒になるケースは六十パーセントぐらいにはね上がるわ。子どもが社会人になってたら、八十パーセントぐらいね。でもその頃になっても、外見もよくって、お金も持ってる男なんてめったにいないけど」

兼一とは不倫をしてきたわけではない。お互いに十八歳の時に知り合い、長い歳月を親しく過ごしてきた。友人としてだけれども、ある日二人の感情が爆発した。発火させたのは自分の方だったかもしれない。だからいっときの不倫のようななりゆきになるはずはないと思っていたのに、彼からのメールはいっさい途切れたのだ。

「美季子さん、お酒、もっと頼みましょうか」

岡田の声で携帯を閉じた。

「ごめんなさい。食事の最中にメールチェックなんて、若い女の子みたいにお行儀の悪いことして」

「いや、いや、お忙しいでしょうから当然です」

そういう岡田も忙しい。自分のクリニックで院長を務めている以外に、週に二度ほど新設の医大で教えているのだ。

「根岸に江戸料理のお店があるんですが、いっぺん行ってみませんか」

という彼の誘いを受けたものの、どちらのスケジュールも合わず、一ヶ月もたった今日になったのだ。

「はっきり言って、江戸料理っていうのは、そんなにおいしいもんじゃありませんよ」

岡田は小声で言う。

「調味料も限られるし、豆腐料理にしても、今ならもっと気のきいたものがあるはずです。だけど、この素朴な感じもちょっといいもんでしょう」

岡田のこともインターネットに出ていた。最初会った時は五十二、三に見えたが、今年で四十九歳になる。国立大学の医学部を出てしばらく勤務した後、アメリカの大学に留学している。専門は老人医療。認知症については、日本でも有数な医師らしい。本も五冊ほど出している。専門書でなく、そのうち二冊は新書だ。

『もしボケたら、老人とはこうしてつき合え』

というタイトルの本を、貰ったもののまだ読み終えていない。その話をすると岡田は笑った。

「何もそんな本を読まなくたっていいですよ。ご両親だってまだお若いでしょう」

「そんなことはないですよ。私の両親だって、とうに七十半ばを過ぎてますよ」

「えー、美季子さんってお幾つなんですか」

相手があまりにも無邪気に尋ねるので、美季子もごく自然に答えてしまった。

「四十二歳ですよ」

「驚いたなア……」

岡田は目を見張った。が、その驚き顔は好意に溢れている。「なんだババアか」といったものからは正反対だ。

「もっとずっとずっと若いと思っていました」

この男はデートする女のことを、決してインターネットで調べたりはしないのだと、美季子は自分のしたことを少し恥じた。


「もう起きたの」

ドアごしに多恵の声がした。目を開けて壁かけの時計を見る。目覚ましを枕元に置く習慣はとうになくなっていた。時計は午後の二時をさしている。寝過ごした、という感じは全くない。昨夜、いや明け方、自分がいつまどろみの中に入っていったのかもわからなかった。強い薬のせいだろうか、二十時間覚醒していない。さわやかな目覚めというものを、もう何ヶ月も忘れている。

「昼ごはん、どうするの……」

どうせ食べないだろうと、頭から決めてかかっている多恵の声だ。夜になると空腹を感じて何か口にするが、日の高いうちは、ほとんど固形物を口にしなくなった。ウーロン茶やコーヒーといったものをがぶがぶと飲む。

「いや……もうちょっとしたら起きるから」

答えた後、何度か寝返りをうって呼吸を整える。多恵と寝室を別にして、自分の部屋で寝るようになって半月ほどたつが、この小部屋はすっかり兼一の体臭で占領されていた。多恵が大げさに嫌がるので、二日に一度は風呂に入るようにしているが、それでもにおいはきつくなっている。

昼間留守にしているという設定でつくられたであろうマンションの小部屋は、人間が朝から夜まで過ごすようには考えられていないのだろう。兼一は初めてといっていいほど強く、はっきりと自分の体臭を感じた。加齢臭にはまだ間がある。働き盛りの男のにおいだ。けれどもワイシャツを着ることなく、パジャマのままの男からは、どこかタガがはずれたにおいがする。饐《す》えるというのでも、汗くさい、というのでもない。正常のものとは違う不快なにおいなのだ。

それをふりはらうように、兼一はやっと立ち上がった。ドアを開け、短い廊下を横切り居間へ入る。多恵はアイロンをかけている最中であった。小さなブラウスは、娘のものだ。多恵はきちんと糊をつけ、衿を整えてアイロンをかけている。一心不乱な様子をしているのは、夫にどう対処しようかと考えあぐねているからだ。多恵は、今気づいた、という風に目を上げる。その目に怯えと、それよりもさらに強く非難の色がある。

「コーヒーを淹れてくれないかな」

「わかったわ」

アイロンのスイッチを止める。わざわざ声に出して言うのは、何かと戦っているからに違いない。兼一は娘の白いブラウスの衿を見た。小花の刺繍が幾つもある。母親に言われているのだろう、以前のようにまとわりついたり、おんぶをせがんだりしなくなった。とはいうものの、いつもと同じように無邪気に話しかけてくれることが、どれほど兼一の救いになっているだろう。

やがて兼一の目の前に、するりとコーヒー茶碗が置かれた。兼一の好みの濃いブラックだ。朝起きしなにこれを少しずつ口にしながら、ゆっくりと活力をめざめさせていったが、今はもうそんな感覚を忘れている。

「ねえ、あの話、どうなった」

傍に立つ多恵が言う。口にするタイミングを見はからっていたのだろう。そのためにやや邪険な早口になった。

「あの話って」

「ほら、お医者さんを替えるっていうこと。セカンド・オピニオンっていうの」

じっくり話そうとするように、突然椅子に腰をおろした。

「前に話してたじゃないの。うちの父の知り合いで、すごくいいお医者さんがいるって。その人は、うつ病の本を何冊も出している人なんですって。このあいだも、どこかの新書で出してたのよ。私、本屋さんで見つけたもの」

「本を出して有名だからって、いい医者とは限らないさ」

「そりゃ、そうかもしれないけど、今のままでいるよりもずっといいじゃないの。言っちゃなんだけど、今の先生、薬ばっかりやたら出すけど、ちっともよくなってないわよ。やっぱり先生を替えなきゃ。そうしなきゃ少しもよくならないと思うの」

「なあ、何度も話したと思うけど……」

そう言いかけると、説明しがたい疲労が押し寄せてくる。コーヒーが口の中で、何の味もしなくなった。

「僕の病気は、一ヶ月や二ヶ月でよくなるようなもんじゃないんだよ。ゆっくり気長に病気とつき合わなきゃいけない。先生との相性も大切だ。奥田《おくだ》先生と僕はよく合ってる。あの先生は、僕のことをよくわかってくれているし、僕はとても信頼している」

この後は余計だと思いながら、ついこうつけ加えてしまった。

「だから、もう治療について、あれこれ口出しするのはやめてくれないか」

「まあ」

多恵の目がたちまち光って、水分で膨れ上がっていくのを見た。しまった、と思うがもう仕方ない。

「私、あなたのことを心配して、少しでもよくなればいいといろいろ考えているけど、それがそんなに非難されること、そんなにいけないことなの」

「非難なんかしていない……」

ただ俺の調子はひどく悪いんだ、どうか、そっとしておいてくれ、と言いたてる気力はもうなかった。

「非難してるわよ、私のこと、ずうっと、ずうっと……」

多恵はテーブルに肘をつき、手で顔をおおって泣き始めた。

「そうよ、私のこと、バチがあたったと思ってるでしょ。そうよね、バチがあたったんだわ。だから嫌なことばっかり起こるのよ。少しも幸せになれないのよ……」

兼一は驚く。いや、驚きという行為にふさわしい、情緒の昂まりはない。ただぼんやりと、ひどく意外な気がした。幸せにはなれない……ということは、今、幸せではないということなのか。今まで妻と娘が幸せかどうか、ということについて深く考えたことはなかった。病いを得てから、迷惑をかけているとは思ったけれども、幸福や、不幸とは別の次元だと考えていた。そうだとも、決して口にはしなかったけれども、自分は今の幸せを守るために、いったい何人を傷つけたのだろうかとしみじみと思う。が、多恵は言うではないか。

「少しも幸せになれない」

ということは、やはり妻は幸せではないのか。コーヒーをいっきに飲む。それでも頭のほとんどは濁ったままだ。ようやく声が出た。

「多恵は幸せじゃないのか……」

「わからない」

多恵はテーブルにうつぶした。

「でもこんなはずじゃなかった。私はただ幸せになりたかっただけなのに……。やっぱりバチがあたったのよ。みんなが私のことをそう思ってるわ。人の旦那さんをとったバチがあたったって。私、そんなに悪いことをしたのかしら」

そうかもしれない、という言葉を、兼一は深く呑み込んだ。

「あそこの席にいる男が二人、ずっとあなたのことを見ていますよ」

岡田が後ろを気にしながら、小さな声で言った。今日、彼が連れてきてくれたのは、銀座の裏通りにある居酒屋である。昭和のはじめに建てられ、戦災にも残ったという店は格子戸に板ガラスという古めかしさで、まるで映画のセットに出てきそうな店であるが、中は案外広い。六十がらみの主人がいるカウンターの他に、これまた古い艶を持つテーブルが十ほど置かれている。よく男性雑誌などで紹介されている店だ。

日本酒の品揃えが素晴らしく、料理も凝ったものを出すが、居酒屋というにはあまりにも値段が高いので、若い女たちは寄ってこない。いつのまにか、銀座・新橋あたりに勤務する、ちょっとこじゃれた中年の男たちの集いの場所になっている……などということを美季子は雑誌で読んだ憶えがある。

こちらを見ているという男たちは、ピンストライプのシャツやカラーシャツを着こなしていて、ひと目で広告代理店勤務とわかる。

「ほら、またあなたの方をチラチラ見ています。お知り合いなんじゃないでしょうか」

今の岡田の無邪気さが少々うっとうしくて、美季子はぴしゃりと言った。

「テレビに出ている仕事をしていますから、多少人には知られているかもしれません。ご迷惑ですか」

「いや、いや、そんなことじゃなくて」

岡田は手をふる。よく見れば彼もブルーのピンストライプのシャツを着ているのであるが、受ける印象はあの代理店勤務に違いない男たちとはまるで違っていた。

「連れの女性を、まわりの男たちが見るっていう気分は初めてなんで、ちょっとびっくりしているんですよ。なんか晴れがましくて嬉しいもんですね」

美季子は思わず苦笑した。これほど素直な男に会ったのは初めてであった。今までつき合った男たちは、恋人に関してかなり自意識過剰になっていたものである。女子アナと呼ばれる女とつき合っているところを見て、他の男たちはどう思うだろうか、ということに神経をとがらせていたような気がする。しかし岡田はなんのてらいもない。

「アナウンサーというのは大変ですなあ。芸能人でもないのに、じろじろ見られる」

としきりに頷くのである。

「いえ、私みたいな者はどうっていうこともありません。ごくたまに、ちらっと見られるぐらいですけれど、人気絶頂の若いアナウンサーときたら、それこそタレント以上の扱いですからね。下着の紐《ひも》がちらっと見えたというだけで写真にバチバチ撮られ、ボーイフレンドとデートしている、といっては週刊誌に追いかけられて本当に可哀想です」

まさか、僕たちは写真に撮られたりしませんよね、と岡田がその後言わなくて本当によかった。こういうつまらぬ冗談を口にする男は、うんざりするほど多いものだ。

「世の中には、マスコミに追っかけられる職業というものがあるもんです」

岡田はこんな話をしてくれた。自分たち医者というのは、マスコミに出る、などということから全く無縁だと思っていた。けれどもあるニュースを見てびっくりした。地方都市の大学病院に勤めている、大学で同期の顔がアップで映し出されているではないか。医療ミスが起こり、裁判沙汰になっているというのだ。

「その時につくづく思いましたね。無名人と有名人との境なんてものはないんだって。僕ら一般人だって、ある日突然、世間に顔をさらすことだってある。だから毎日を心して生きなきゃいけないって、つくづく思いました」

酒を替えてみませんかと、岡田は提案する。

「これはね、今のところ、僕のナンバー3に入るかな。山形の小さな蔵の辛口です。どうってことはないけど、実にうまいんだなあ。いろんな講釈は言わないけど、うまいものはうまい。人間もこういうのって、いいですよね」

「ホント、そんな人間になりたいですよね。私はたぶんなれないと思うけど」

美季子はグラスの酒を飲み干す。最近流行の軽い辛口ではなく、どっしりと重たい辛口であった。

「これ、すごくおいしい」

「でしょう。たぶん美季子さんが好きなタイプだと思ったんだ」

いつのまにか岡田は、美季子さんと呼ぶようになっている。あたり前だ。お互いの忙しいスケジュールをやりくりし、最近は月に二度か三度、待ち合わせては二人でおいしい店を食べ歩いている。最初会った時からわかっているが、岡田は大層酒が強い。特に好きなのが日本酒で、日本各地の珍しい酒をよく知っている。自分の好みの酒を、これまた好みの肴でぐびぐび飲んでいる時が、至福の時だという。

男と女が定期的に会うようになり、美食と酒を楽しむ。そうなると、いきつく先はもう決まっている。たいていの場合、三度目か四度目かで、男はそういうことをほのめかす。しかし岡田は違っていた。どんなに酔っていようと、手ひとつ握ることはない。酔った美季子をタクシーに乗せると、とても楽し気に手を振る。もうこれだけで充分満足した――という風にだ。

美季子はといえば、最初少々構えていたのだが、すぐに安堵に変わった。

「この男はそういう男ではない。自分にそういうことを求めていない」

決断を下すと、ずっと気持ちは楽になる。美季子は寛いだ気分で飲み、食べる。たった今も、鳥の刺身とアスパラガスの天ぷらの皿を頬ばったばかりだ。不意に岡田が言う。

「おととい、久しぶりに娘に会いました」

確か横浜の大学に通っている娘がいるのだ。

「そうですか。お元気でしたか」

「なんか最近の子どもは、アルバイトばかりしていますね。そんなことでちゃんと勉強が出来るのかと、釘をさしておきました」

「ふふ……」

美季子は軽く笑ったけれども、岡田の娘などにまるで興味はない。ただ、学生時代に自分も父親から全く同じことを言われたことを思い出したからだ。

「そして娘に、私の結婚について話してきました。いや、結婚ではなくて、再婚ということですかね」

あーそうか、やっぱりと思った。岡田が自分に恬淡《てんたん》としていたのは、他に結婚を約束した女がいるからなのだ。

「ねえ、美季子さん」

岡田は言った。年よりも老けてみせていた白髪が、この頃めっきり少なくなった。もしかすると、染めているのかもしれない。

「この年の男と女が、こんな風に会っていて、こんな風に楽しいんです。当然、結婚してくれますよね」

「……」

驚きのあまり声が出ない。もしかすると、今プロポーズをされたのだろうか。しかし、プロポーズというものが、こんな風に唐突に、寝たこともない男からされていいものだろうか。恋もセックスも飛び越して、結婚を申し込まれたのは初めての経験である。

今まで美季子にとって、プロポーズというのは、さんざん熟《う》れて狎《な》れた仲の果ての、半分照れ隠しのようにつぶやかれた言葉であった。とても本気に出来ない。

「結婚？　私が、岡田先生と、するんですか」

「そうです。図々しいでしょうか」

「図々しいとか、そんなことじゃなくて」

「僕はバツイチなんて下品なもんじゃないけど、一応結婚をしていました。嫌な響きで使いたくないですが、まあ、ヤモメっていうことですかね。子どももいます。勤務医じゃありませんから、多少金はありますが、こんなとこで飲むぐらいですから、たいしたことはありません。それで美季子さんと結婚したい、なんていうのは図々しいとわかっていますけれども、どうですかね、飲み仲間がこのまま一緒になるっていうのも」

「突然、そう言われても……」

「いや、いや、こういう結婚話っていうのは突然に起こるものでしょう」

「結婚」という音は、居酒屋の喧騒にすっかり混ざり込んでしまう。まるで「ビールもう一本」と頼むように、岡田はもう一度「結婚」と発音する。

「ぼくはもう二度と結婚はしないつもりでした。ですけど、美季子さんと会って考えが変わったんです。僕は精いっぱいのことをします。これからの人生、あなたと幸せに暮らすためにすべて費やすつもりですよ」

さあ、もう一杯と、グラスになみなみと注がれた。

「さあ、乾杯しましょうよ。僕たちの未来と幸せを祝して……やあ、飲んでくれた。美季子さん、大丈夫ですよね。大丈夫だよね……。ああ、僕はなんて幸せなんだ……」

「私、めちゃくちゃ幸せ……」

枕がはずれたまま、シーツに頬を押しつけ、多恵はゆっくりと目を閉じる。

「このまま死んでもいいくらいよ、だって、ずうっと好きだった人と、こういう風になれたんだもの」

どこか旅に行きたい、と言い出したのは、兼一だったろうか、それとも多恵だったろうか。いつも都会の夜にまぎれるようにして、あわただしくこっそり会っている。奥さんのいる人とつき合っているのだから仕方ないけれど一度だけでいい、旅に出て二人きりで何日かすごしてみたい。朝まで一緒にいたい、と言い出したのはやはり多恵の方だったかもしれない。出張などと誤魔化すのはわけないことであった。軽井沢の古風なホテルに二人で泊まった。

多恵とはもう何度も体を重ねていたけれども、朝まで一緒にいたのは初めてだ。多恵は口を野放図に開けて眠る。その顔が愛らしくて、朝日の中でずうっと見つめた。そして目ざめた多恵と、もう一度愛し合う。多恵は処女ではなかったが、やわらかく初々しい体を持っていた。一日めの夜と二日めの夜とまるで違っていることに兼一は驚いた。わずか一日で、成長を遂げているのだった。

そして二日めの朝、たっぷりと愛し合った後で、多恵はひと筋の涙を流した。

「幸せ過ぎて、なんか泣けてきちゃう。怖いぐらい幸せなの」

そうだ、あの言葉を何回聞いただろうか。

「ケンちゃんは、奥さんと別れよう、なんて思わなくてもいいのよ。だってね、このままで本当に幸せなんだもの。ケンちゃんに愛されているだけで幸せなの。私、これ以上のこと、何も求めていない、本当よ」

あの時の言葉は本当だったかもしれない。多恵は本気で、何もいらないと口にしたのであろう。しかし、多恵のその決意も、華子をお腹に宿すまでだった……。

どうして、こんな古いことばかり思い出すのだろう。この頃は夢も見ない。うなされているわけでもないのに、朝、ぐっしょりと寝汗をかいていることがある。

いったいどうしたのだろう。今の女房との恋愛時代のことを思い出すなんて。兼一は自分の部屋というよりも、万年床を敷きっぱなしの体臭が充ちた部屋で、ようやく起きあがりながら考えた。

仕方ない、あの言葉のせいだ。

「私はただ幸せになりたかっただけなの」

と、多恵がうつぶしたのだ。

今日は日曜日の午後だ。そのわりには華子の声が聞こえない。いつもならアニメを朝から見て、多恵にさんざん叱られているはずなのに。

水を飲もうとリビングルームに入ると、テーブルの上に一通の手紙が置いてあるのを見つけた。丸文字時代の影響を多少持つ多恵は、あまり字がうまくない。まるで少女のような幼な気な文字だ。そして書いてあることは強烈だった。

「しばらくの間、実家に戻っています。父も母もその方がいいと言ってくれました。薄情なようだけれど、今は仕方ないと私も思います」

多恵を恨む気はまるでなかった。うつ病の夫と一緒にいる、などというのはどれほど気苦労が大きかったろうか。

このまま別居するのか。それも仕方ないかもしれない。以前なら迎えに行けたけれども今はそれどころではない。多恵にしても、両親の手前、不精髭をはやした兼一になど来て欲しくないだろう。

深呼吸してから、多恵の実家の電話番号を押した。

「もしもし」

いつもどおり、不機嫌そうな義父だ。

「あ、兼一君、体の調子はどうかね」

「いや、まあまあです。昔と少しも変わっていませんよ」

「それならよかった。こういう病気はゆっくり構えた方がいい。それはそうと、昨夜遅く、多恵とハナがやってきた。しばらく泊めてほしいらしい」

「全く恥ずかしい限りです」

「こんな時こそ、多恵は兼一君のめんどうをみなきゃいけないのはわかっている。だけどまあ、話を聞いてみれば、無理もないところがある」

「………」

こういう時は何も答えていけないと兼一は知っている。

「娘はずうっと泣いている。ただ幸せになりたかっただけだと私に言った。まあ、親としてはふびんでたまらないんだ」

また幸せか。幸せがこれほど重要なことだとは知らなかった。幸せというのは誰しもが手に入れられる当然の権利で、これを与えられない者は、犯罪者のように扱われるのだと兼一はゆっくりとひとりごちた。

IX

岡田からのプロポーズは突然過ぎて、二人の仲はややぎこちなくなったといってもいい。同棲を経て別れを経験している美季子は、結婚の難しさというものを知っている。まわりでも十年近く一緒に暮らしていて、結婚をしていないカップルはざらにいた。

「本当にこの相手でいいのだろうか」

という見きわめをしているうち、その緊張感もいつか薄れ、惰性で暮らしている二人だ。そのうちに女の方が三十代後半になり、結婚を求める。すると男はその気配を感じてさっと逃げの姿勢に入る、という例が多いようだ。

そうでなければ、女のプライドが高く、

「結婚をしてもらいたがっている女」

と見られたくない思いで、ずるずると日にちがたってしまっている。

とにかく結婚に関する悲喜劇を、美季子はどれほど見聞きしただろうか、マスコミの人間は、自分に起こった出来事をかなりあけすけに言うきらいがある。人の噂話も大好きだ。美季子と高田正樹との同棲話も、おそらく未だにみなの格好の酒の肴になっているに違いない。美季子と二年間一緒に暮らし、ある日突然去っていった男。

「ある日、彼女が家に帰ったら、男の荷物だけがすっかり消えていた」

という話は、まわりまわって美季子のところへも届いたことがある。もはやミズホテレビのひとつの伝説のようになっているのであろう。その高田正樹が、後輩のアナウンサーの滝沢マリナと入籍したのは先月のことだ。有名建築家の父と、女優の母を持つ彼女は「お嬢さまアナウンサー」として鳴りもの入りで入社した。が、アナウンサーの人気というものは不思議なものだ。アイドル並みの容姿を持ち、すぐにレギュラーを持たせてもらっても、局の思惑どおりの人気が出ないことがある。そして反対に〝地味な〟と表現されるアナウンサーに突然スポットライトがあたることもあるのだ。

滝沢マリナは、期待されていたような花形アナウンサーになることもなく、次第に仕事も減っていった。今度の結婚、退社という道はむしろ本人のためにいい、と言う者も多い。

ともあれスポーツ紙にもかなり大きく載った結婚であったが、披露宴は行なわれず、内々のパーティーもなかった。滝沢マリナが妊娠四ヶ月でつわりに苦しんでいたからだ。

美季子は自分と暮らしていた時、彼がどれほど避妊に気をつけていたかと思い出すと、少し嫌な気分になる。考えてみると、同棲と慎重な避妊というのは、かなり矛盾していやしないだろうか。そう考えるのは、やはり自分が何かをあの時期期待していたせいであろうか。

とはいっても、前の男が結婚したからといって、現在の考慮中の男との仲がぐっと縮《ちぢ》まるわけではない。そんなことは計算高い愚かな女のすることだ。

岡田があまりにも唐突に、しかも無邪気に結婚のことを口にするので、美季子はかえって不信感が募る。結婚ははずみでするものだと、よくいろんな人が口にするけれども、その言い方も軽薄なような気がする。もし本当にはずみで結婚できるのだったら、男の不貞や裏切りに泣いた自分はいったいどうなるのだ。

「結婚というものを、そんなに軽々しく考えない方がいいと思います。なんか馬鹿にされているみたいな気がします」

というメールを打ち、やはり送信しなかった。こんな拗ね方は、若い女にだけ許される媚《び》態《たい》であろう。

岡田からはこんなメールが届いた。

「あまりにも突然にこちらのことばかり言って気分を害したら申しわけありません。だけど僕は本気です。今、僕は美季子さんを怒らせてしまったかもしれない、という思いで、まるっきり仕事が手につきません。とにかく本気です」

のだと気づく。

「本気です」という文字に、美季子は少し笑った。結局自分が欲しいのは、こうした言葉な

そしてすぐに、美季子の欲していたものが存分に与えられる日が来た。それはちょっとし

たことがきっかけであった。

日曜日の午後、美季子の元にかなり大きな宅配便の荷物が届いた。発泡スチロールを開け、

美季子は大きな声をあげた。

「ウソでしょう。信じられない!」

仕事で大分に行った時、地元の人から、

「時季になったら車海老を送りますよ」

と言われていたのだ。相手が女性だったこともあり、会社ではなく自宅の住所を教えてお

いた。どうせ三、四匹のことだろうと考えていたからだ。ところがオガクズの中でうごめく

車海老は、ざっと二十匹はいるだろう。

「困るわ。どうしよう」

アナウンサー室に来たのならば、所帯持ちの同僚にそのまま持っていってもらうことも出

来た。が、ひとり暮らしで、このように大量の車海老をどうしたらいいのだろうか。料理好

きで気軽に来てくれそうな女友だちを何人か思い浮かべた。が、彼女たちには夫がいる。日

曜日に突然呼びつけることは出来ないだろう。

独身の後輩を誘うことを考えついたが、若い娘たちは、ざわざわと動く車海老を見て、悲鳴をあげるのが関の山だ。

その時ふと岡田のことが頭にうかんだ。ひとり暮らしの彼のために、揚げ立ての車海老を食べさせたいと思ったのだ。それは単なるやさしさというよりも、〝料理好き〟という新たな魅力を加えた自分を見せびらかしたかったのかもしれない。ともあれ、オガクズの中で必死に動く海老を見た時、美季子の中で温かな活力が生まれたのは確かだった。

「何か行動を起こさなくてはいけない」

それがもしつまらぬ結果に終わったとしても、このままメールを交わすだけでは何も始まらない。岡田は今までの相手と違い、お互いの出方を待つ、といった計算じみたところはないが、そろそろ変化を求めていたのは美季子の方であった。

大量の車海老が来たので、よかったらいらっしゃいませんか、という美季子の誘いに、岡田は電話口でしばらく黙り、そして言った。

「とても嬉しいです。ですけど」

「何か……」

「僕は美季子さんのうち、知りません」

「そうでしたね」

思わず笑い出した。いつもタクシーを拾うところまでで、送ってくれたことは一度もない。だから美季子のマンションは知るはずもない。

「よかったら、こちらの方にいらっしゃいませんか。狭い庭ですが、今、鈴蘭が綺麗に咲いているんですよ。あれをお見せしたいな」

「へえー、岡田さんのうちって一軒家なんですか」

「一軒家といっても古い小さい家ですよ」

「それでどこでしたっけ」

「ひどいなあ、永福町です。そういえば一度も聞いてくれなかったなあ」

そこで二人は笑い出し、ずっと気分は楽になった。

そして美季子は車海老の入った発泡スチロールを抱えて永福町に向かった。

十四の車海老は天ぷらではなく、すべて刺身となり、冷酒と共に食された。フライになったのは次の日のことだ。これは岡田が揚げてくれ、美季子の希望で白ワインの栓を抜いた。

次の日も、その次の日も、着替えを取りに帰るだけで美季子は岡田の家にいた。彼の家も、彼の愛撫も想像以上に心地よかった。岡田の家は二十年前にまだ生きていた彼の父が建てたものだという。妻が亡くなった後、岡田がここに移り住んだ。まだ高校生の岡田の娘の教育のために、母親が同居していたのであるが、八十歳になった今では、都内の娘のところに身を寄せている。

医者が二代にわたって大切に住んできた家は、本がたっぷりある家独特の陰翳《いんえい》がある。流行の、陽がさんさんと射し込む家はハウスという言葉がぴったりだが、ここは小さな屋敷というべきだろうか。あちこちに薄闇があり、木が多過ぎる庭とよく似合っていた。

封を切っていない郵便物や雑誌で散らかった居間に座った時、美季子は懐かしい気分にさえなった。

「なんて気持ちいい家なんだろう」

若い時から、雑誌のグラビアに出てくるような家に住みたいと思ったことはない。外国製の家具や小物も、知識として知っているだけだ。新しくピカピカ光っているものたちに囲まれて暮らすのでなく、いい具合に使いこなされたものの中に囲まれるのがいいと漠然と考えていたのだが、それがどういうことかはっきりとはイメージ出来なかった。そうかといって中古の品をあちこちから集めてくる趣味も美季子にはない。しかしこういうことだったのだ。やわらかくよくこなれた家があり、そこにすっぽりと美季子が入ればよかったのだ。

ここの家の女主人は、とうに亡くなり、痕跡はまるでなかった。週に二回だけ来る家政婦がゆきとどいたことが出来るわけもなく、あちこちにゆるんだものがある。しかしそれも美季子には心地よい。

この家で迎えた初めての日曜日、美季子は棚からありったけのグラスを出し、すべてを洗い磨き上げた。もちろん岡田も手伝ってくれる。

「最初に出してくれた秋田の大吟醸、ものすごくおいしかったけど、グラスがくもっていてちょっとがっかりだったなァ」

「それじゃ、今夜、秘蔵の一本を出すよ。蔵元限定千本を特別に分けてもらったやつだ」

二人で毎晩のように飲み、喋る。それまでと違っているのは、当然のように同じベッドで眠ることだ。今まで岡田ひとりが使っていたセミダブルで二人で眠ると少々狭い。だからしっかりと抱き合って眠る。

「美季子さん」

「なあに……」

「結婚しても、このベッドで一緒に眠ろう」

「でもするかどうかわからないわ……」

「もうしてるじゃないか」

そうして岡田はもう一度体勢を整える。四十代後半の男だというのに、彼は毎晩美季子を愛することが出来た。まだ見栄を張っているのかもしれない。それにしても、彼が体力と愛情をたっぷり持っている男だということは間違いなかった。

こうして美季子は、再び男と暮らすことを始めた。前回と違っていたのは、そこが自分のマンションではなく、男の家だということだ。一軒家で男と暮らすことが、これほど新鮮で楽しいとは思ってもみなかった。昼間やってくる家政婦と顔を合わすことはなかったが、朝、家を出る前に簡単なメモを置いておく。

「しゃぶしゃぶをするので、白菜と春菊を少し買っておいてください。肉は私が買って帰ります」

そうすると台所にそれがちゃんと置かれている。ままごとというには、とても贅沢で快適な日々を、美季子は存分に楽しむ。

美季子は少し油断をしていた。全く無防備にこの家に住み、この家から局に通った。近くの駅から電車に乗り、挨拶をしてくれる近所の人には笑顔で返した。

以前、写真誌に載ったのは、相手が有名な芸能人だったからだ。今ならせいぜいスポーツ紙の小さな囲み記事だろう。

木曜日の朝、いつもより早い時間に美季子は家を出た。品川駅に集合することになっているのだ。美季子がニュース番組のメインをしていた頃、まだ会社が「経費節減」などと唱えたりしないずっと以前、ロケ現場へは当然のようにハイヤーが出たものだ。が、そんなものはもはや望むべくもなかった。自分でしっかりとメイクをし、自分の洋服を着て電車に乗る。ラッシュ時にぶつかる時もあった。ちらちらとこちらを見る乗客もいるが、こんなことを気にしてはいられない。自分がもはや〝女子アナ〟の枠からはずれた四十代の女でよかったと思うのはこんな時だ。もはやふつうの勤め人の女として人込みの中にまぎれ込むことが出来る。

しかしこんなことを思っていたのは、美季子だけかもしれない。岡田の家を出て、駅に向かうため、右に曲がろうとした時、いきなり男が飛び出してきた。その男の手にカメラがないことを確かめ、一瞬、気をゆるめた。まだ若い男だ。とても感じよく笑いかけた。

「柳沢美季子さんですね」

「そうですけど」

「週刊〇〇の者です。男の方と今、一緒にお住まいですけど結婚されるんですか」

「あの、広報を通してください」

若いアナウンサーに言い聞かせていることを自分で発するのが不思議だった。

「直接お話し出来ません。会社の広報を通してください」

「相手の方、どんな方なんですか。ちょっと教えてくださいよ」

「一般の方なんで取材は困ります。お断わりします」

「ねえ、柳沢さん、ちょっと一言だけお願いしますよ。これはスキャンダルじゃない。お互い独身なんですから、おめでたい話じゃないですか」

「あたり前です」

美季子は思わず記者を睨みつけ、しまったと思った。アナウンサーたちに伝えるマニュアルの中に、こんな箇所があったからだ。

「不快なめにあっても、取材人に感じよく接すること。肝心なことは言わず、が、決して睨んだり威嚇《いかく》したりしないこと。そういう態度をとると、必ず文字に反映し、悪意ある記事となります」

出社したところ、さっそく室長に呼ばれた。広報部長も一緒だ。小さな会議室に三人で向かい合うと、気まずさのあまりみんなもじもじした。いつもだったらここには、若いアナウンサーが座っているのだ。

「ちょっと軽率だったわね」

と美季子がまず声をかけ、経過を聞くのが手順となっていた。ところが今回、男たちの困惑の対象は美季子自身なのである。

「びっくりしちゃったよォ」

室長の声には、困惑と軽い揶揄がある。

「まさかさ、ミキちゃんところにまた写真週刊誌が来るなんてさ。このあいだのことがあったばかりだから、用心してくれてると思ってたよ。気づかなかったの？」

「申しわけありませんでした」

一応頭を下げる。

「まさか私なんかを狙ってるとは思ってなかったもんですから」

「夏枯れだったのかナァ」

室長は思わず発し、それを冗談にしようと、美季子に共犯《なれあい》の笑いを投げかけるが、いっさい無視した。はるかにシリアスな態度は広報部長だ。

「ほら、うちはしょっちゅう若いコが狙われているじゃない。どうやらあっちの記事はね、ミズホテレビは、ベテランから若手までみんな恋が大好き。みーんな男がいる、っていう論調にしたいらしい」

「つまり、若手からおばさんまで恋愛中モードっていうことにしたいんですね」

美季子が言うと、男たちは押し黙った。どうやらそうらしい。自分の私生活が、まるで道化のように写真週刊誌に載る。たぶん「年甲斐もなく」というニュアンスで、若い人気アナウンサーたちの奔放さと比べられるのだ。そんなことは絶対に許さない、と美季子は心に決めた。

「あの、私たち結婚しますので」

これ以上出来ないほどさりげない声が出た。えっと男たちは声を出す。

「相手は恋人ではありません。正式に婚約したフィアンセです。今すぐ、というわけではありませんが近々結婚しますので」

何か文句がある？　と美季子は男たちを見返す。この世界に二十年いれば、マスコミがどういう風に動くか、少しはわかるつもりだ。四十二歳の女が男の家から通っていたら、からかわれたり皮肉を言われる。たぶん男たちは、

「がんばってるじゃん」

と薄笑いを浮かべるはずだ。けれども結婚となると、まるでニュアンスは違ってくる。きちんとした形をとるという事実の前に、人々は口をつぐむのだ。

「ですから、あちらにも私からお話ししてもよろしいでしょうか。彼は独身です。もちろん略奪婚なんかじゃありません。彼はバツイチでもなく、奥さんは五年前に亡くなっています。れっきとした独身です」

「仕事は何してるの」

広報部長が尋ねた。

「医師です。それから大学でも教えています」

ほうーっと男たち二人はまたもや同時に声をあげた。

二日後に出た写真週刊誌の記事は、思っていたよりも大きく、そして好意的だった。

「柳沢美季子アナが、エリート医師と結婚」

とある。写真もどのように撮られているのか心配していたのだが、ごくふつうに道を歩いている姿だ。白い麻のジャケットで、十日前に撮られていたとわかる。まるで気がつかなかった。同じ場所で車に乗る岡田の姿も撮られている。いつもは自分の車で出勤するのだが、その日は夜に酒を飲む約束がありタクシーを拾った。彼もそれは十日前のことだと言う。

岡田の顔は目のところにモザイクがかかっている。都内で精神科のクリニックを経営し医大の教授も務めるA氏とある。

「都内の住宅地の朝、足早に歩く美女の姿がある。ミズホテレビのベテランアナウンサーで、最近は旅番組のコーナーが大人気の柳沢美季子アナだ。今年四十二歳の御年ながら、すらりとしたプロポーションに、クールビューティーと言われた容姿は少しも衰えていない。近所でも、柳沢アナが引越してきたと大評判だ。実は柳沢アナ、半月前からここの一軒家でひと足早い新婚生活をすごしている。お相手は……」

美季子がいち早く結婚宣言をしたため、同棲ではなく〝新婚生活〟という言葉が使われているのだ。

この写真週刊誌が発売された日、これを受けて幾つかのスポーツ紙に記事が載った。どれも「結婚！」という文字が躍っている。囲み記事ではなく、かなりの大きさであった。

そしてスポーツ紙と一部のテレビ局が美季子の結婚を伝えた後、女性誌の取材がどっと入った。それは広報部も驚くほどの数であった。

「柳沢さんは、私たちの希望の星ですよ」

女性記者がまんざらお世辞でもない証拠に力を込めて美季子を見つめる。

「今、四十代の女の生き方っていう特集をしているんですけど、柳沢さんのご結婚のニュースを聞いて、ぜひ巻頭インタビューに出ていただこうと思いました。柳沢さん、すごいですよ、四十代になっても組織の中でこつこつキャリアを重ねていく。テレビ局のアナウンサーっていう未だに若さが尊重される職場で、確実に自分のポジションをつかんでいる。本当にすごいと思います。そして今度は、理想の人を見つけて結婚される。まさに四十代の理想的な生き方ですよね」

美季子はおもはゆさで、しばらく言葉が見つからない。

いったいこれはどういうことだろう。美季子の今までの人生は、「結婚」という文字で大逆転したかのようだ。自分の職場人生が、すべてみじめだったとは言わない。しかし四十代となったアナウンサーとして、葛藤は山のようにある。与えられる仕事と誇りとを、どう折り合いをつけていこうかと考え続けていたこの数年だった。彼女の言うように、

「確実に自分のポジションをつかんでいる」

というのとはかなり違う。芸能人との醜聞もたち、辞表はほとぼりがさめたら、会社が受

け取ることになっている。それなのに社会的地位を持つ男と結婚することになると、働く姿勢まで評価してくるかのようだ。

「今や柳沢さんは、私たちのヒロインだ。柳沢さんは私たちにいろんなことを教えてくれた。四十代になっても、きちんと組織の中で生きていけること、そして幸せな結婚をつかめること」

その女性誌は気恥ずかしくなるような文章で結ばれていた。

そしてあまりにも慌ただしい日々の中、美季子は、兼一のことを少し忘れかけていた。

メールをうつ。

「ニュースを聞いたかしら？　びっくりした？　私、結婚することにしました。自分でも思わぬ事態にびっくりしています。私の人生で突然こんなことが起きるなんてね。今、かなり恥ずかしいことがいろいろ起こってる。一度会って話したいな」

返事はなかった。

X

入籍をする前の夜に、美季子は岡田の娘と初めて会った。建築の勉強をしている大学四年生で、もう就職が決まっているという彼女は、岡田によく似ていた。

形はいいがそう大きくない二重の目、先が丸い鼻までそっくりだ。けれどもやや厚めの唇は、父親が持っていないもので、それは母親から伝えられたものだろう。美季子は岡田の娘を目の前にして、遺伝子というものの不思議さを思わずにはいられない。父親と母親とが微妙に入り混じっているのが、子どもというものなのだ。

年齢的に考えて、自分はもう子どもを持つのが難しいだろう。だからこれほどしげしげと、夫になる男の子どもを見つめてしまう。

「私、今度のこと、とっても喜んでいるんです」

佐智《さち》という娘は言った。

「そりゃあ、最初はちょっととまどったけど……だってパパの年で結婚するなんて信じられなかったから」

「悪かったな。だけど世間じゃ、六十、七十で結婚する男も多いんだぞ」

岡田は紹興酒をグラスに注ぎながら苦笑する。若い佐智の望みで、白金《しろかね》の中華料理店を選んだのだ。

「そりゃあ、世の中にはそういう好き者《もん》のおじさんもいるけど、自分の父親は違うと思うのが娘ってものでしょう」

そりゃあそうよねと、美季子は頷いた。今回、娘がいる男との結婚で、さんざんみんなから脅かされたものだ。娘は手強《てごわ》いよ。気をつけた方がいいよ。父親を奪われた気になって、絶対によくは思わないからね。友人のプロデューサーの男は、こう言ったものだ。

「僕の友人で、ある女優とつき合っていたのがいた。当時人気絶頂の美人女優で、彼はもう夢中で、誰もが結婚すると思っていた。だけど土壇場で、高校生の彼の娘がこう言ったんだとさ。再婚してもいいけど、私以外の子どもは絶対につくらないでね。それが条件よ。男はアホなことに、それを女優に伝えた。女はもうカンカンさ。馬鹿にすんなっていうことで結局二人は別れた。あからさまに反対するなら、まだやり方はあっただろうけど、全く娘っておっかないよな」

しかし目の前の佐智は、もう思春期を過ぎていることもあり、屈託はほとんどなさそうだ。

「それにね、相手がミズホテレビの柳沢美季子さんって聞いてびっくり。スポーツ紙にも出たりしたから、あなたのお父さん、すごい有名人と結婚するのね、なんて仲のいい友だちに言われてちょっと鼻高々かな。最初、パパが結婚するって聞いた時は、おミズの女にでも、お金めあてで騙されてるんじゃないかって、一瞬思ったぐらいだもの」

「バカ、俺が金持ってるわけないだろ」

「だけどさ、世間じゃ医者はお金持ちだって思ってる人多いよ」

仲のいい親子でぽんぽん会話がとびかう。が、その中に美季子を加える心配りを、岡田は忘れなかった。

「あのあばら屋に住んで、美季子さんはもう知ってるよねえ。うちの経済状態も、うちの車が十年まえの国産だってことも」

「だけど、もしかしたら、ものすごい隠し財産があるかもしれないって期待も、なきにしもあらずなんですけど。生命保険の額も知りたいし……」

「アハハ、ミキコさんっておかしい」

佐智は笑う。笑顔になるとますます父親に似ていた。医大に受かるぐらいの学力はあったと岡田が言っていたから、賢い娘なのだろう。学生らしくチノパンツにカーディガンを合わせているのも清楚な雰囲気だ。今どきの女子大生の中には、化粧や服装にとんでもない時間と気を遣っている者が多いが、佐智はそういうタイプではない。国立の大学で勉強ばかりしていたという彼女とはたぶん仲よくなれるだろうと美季子は思う。

「それで披露宴はやるんでしょう」

「そんなもん、やるかい。やったりしたら、それこそお前の言う好き者のおじさんになっちまう」

「あのね、入籍だけでもいいと思ったんだけど、佐智ちゃんのパパがね……」

娘の前で岡田のことをどう呼んでいいのかわからず、美季子はそんな言い方をした。

「私のことを考えて、ちょっとしたパーティーをしようかって。パーティーって言っても、まあ、食事会みたいなものだけど」

「それで美季子さん、ウエディングドレス着るの」

「いま考えてる最中なの」

「ダメよ、絶対に着て。着ないなんてつまんない」

佐智は子どものように、大げさに首を横に振る。

「パパは違うけど、美季子さんは初めてなんだから絶対に着なきゃ。それにこんなに若くて綺麗な人だから、ウエディングドレス姿見たいわ。パパに見せてあげて。ねえ、パパ、見たいでしょ」

「ああ」

「ほら、これできまりイ」

手を叩いたしぐさが、やや芝居がかっていると美季子は思う。佐智も今夜は、かなり無理をしているのだろう。

「私ね、今度のこと、パパのために喜んでるの。本当よ。パパがママのことを、どんなに大切にして、どんなに一生懸命看病してたか、私、よく知ってる。だから反対なんかするもんですか」

佐智は言葉の中に、初めて棘《とげ》を入れてきた。おそらく岡田には気づかない棘だろう。自分の父親が、死んだ母親のことをどれほど愛していたか。それにあなたがかなうはずがないと、佐智は暗に伝えようとしているのだ。

美季子は友人の話をふと思い出した。

「私以外の子どもは持たないで」

そう言ったという娘と、佐智の心とは深いところで似かよっている。たいていの女は、他の女から男を奪うが、再婚する女は、娘から男を奪うのだ。が、これくらいで済んだというのは幸い、というものかもしれなかった。

その夜、寝返りするふりをして、岡田が美季子をとらえた。しっかりと抱き締める。

「独身最後の夜だよ……」

「やめてよ……。階上《うえ》に佐智ちゃんが泊まってるわ」

「聞こえるはずないさ。それにあの子も、もうそんなことを気にする年じゃないし」

「彼女が気にしなくても、私が気にするの」

岡田を強く押しのけた。彼の娘が眠る家で、どうしてもそんなことをする気にはなれなかった。佐智は義母となる女の心にかすかな棘を刺すことに成功したことになる。


ちょっとした憂うつな出来事があったというものの、美季子と岡田は次の日、揃って区役所に出かけた。婚姻届を提出するためである。もっと早く出すつもりだったのだが、八十歳になる彼の母親が大安にこだわったのである。

区役所のロビーを歩いていくと、めざとく何人かがささやき始めた。

「ほら、ミズホのアナウンサー……、旅番組をやってる人」

「本物の方が綺麗じゃん」

「そういえば、結婚したんでしょ」

「今からするんじゃないの。だから今日、婚姻届出しに来たんだよ」

「あ、そうか……」

中年の女が二人、美季子に声をかける。

「結婚おめでとうございます」

「ありがとうございます」

美季子は微笑み、軽く会釈を返す。傍には肩幅のある男が立っていて、その男もかすかに頭を下げた。幸せというものは、これほど単純なものだったのだ。美季子はそのことに動揺している。単純というよりも他愛ない、といってもいいぐらいだ。自分が今までたどってきた人生、男との確執、別れ、涙、憎しみ、あれほど複雑な喜怒哀楽に彩られていた自分は、同じように複雑で高尚な人間だと思っていた。ところが何のことはない、わかりやすい幸福と祝福に今の自分は素直に喜んでいるのである。

ようやくわかった。結婚式の日の花嫁の笑顔が。あの日女たちは、人生がいかに単純で、温かいものかを知るのだ。それが嬉しくて楽しくて、みんな花のような笑顔になるのだ。いつまで続くかどうか、などということは関係ない。ああ、なんて幸せなんだろうと実感する喜び。

「幸せになってねー」

図にのった女たちはさらに手をふる。

「ありがとう。幸せになります」

花嫁は、なんのてらいもなく答えた。

結婚します、という美季子のメールは、もちろん見ていた。誰かのいたずらではないかと、もう一度目を凝らして見た。が、発信者のところには美季子の名があった。

「そんなはずはない」

とつぶやき、その声の大きさで自分がとても衝撃を受けていることに気づいた。美季子はずっと結婚しないと思っていた。それはもう確信といっていいくらいに大きかった。学生の時と変わらない黒髪と、ほっそりとした体つきを持つ美季子は、いつまでも自分の傍を風のように漂っているはずだった。いつもべったりといるわけではないが、必要な時にはすぐさま現れる。そしてその時に必要なもの、慰め、励まし、叱責を与えてくれるのは美季子であった。函館であんなことがあったのは、おそらく前妻を失ったばかりの自分に、いちばん必要なのはセックスだと、わかっていたからに違いない。

長い友情をじっくりと育てていった二人なのに、水が突然流れ出すように激しく抱き合った。何かをぶっつけ合うように、朝まで何度もセックスをした。けれども美季子は、

「あれは決してはずみではない。だから後悔してはいけない」

と言ったものだ。そして彼女が出した結論は、

「この出来事に溺れることなく、お互いに丁寧に生きていこう」

というものであった。美季子にとって、「丁寧に生きる」というのは、他の男と結婚することだったのか。自分のことなど忘れ、新しい人生を歩むことだったのか。

「それは、ないだろう」

と再びつぶやき、自分にそんな権利はまるでないことに気づいた。悲しかった。

体がだるい。それ以上に頭の中がどんよりとして疲れている。医者から貰う薬のせいだ。初期のうつ病ならば、投薬で劇的に治る例も多いと言うが、兼一の場合そんなことはなかった。頭の中が重く濁った液体で充たされたような感覚だ。何かを深く考えるにはあまりにもだるい。その中で悲しい、という感情だけが鋭く光っている。

「本当に結婚するのか。いったいどういうことなのか」

どうしようもなくつらい。美季子が他の男のものになるということが、これほどつらく悲しいことだとは考えたこともなかった。それ以前に、美季子は結婚しないものだと思っていたのだ。それなのにこの突然の通知はどうだろう。裏切られたのと同じだ。

美季子がどこかへ行ってしまう。自分ひとり残して。美季子をひき止めることは出来ないのだろうか。どうか結婚しないでくれ、と懇願することは出来ないのだろうか。

いや、そんなことが出来るわけがない。もし懇願するとしたら、それは愛の告白と共にしなければならないだろう。愛の告白は美季子が無言のうちに兼一に禁じているものだ。決して不倫とか、ありきたりの恋人にならないために、愛という言葉は口にしてはいけないものであった。

兼一は自分ががんじがらめになっているのを感じる。美季子は友情という言葉で、また自分を縛りつけているのだ。セックスをしたくせに、函館の夜にあれほど淫らな姿態を見せたくせに、美季子はまだそんなものを信じているふりをする。が、

「冗談じゃない。俺はもうお前を女として愛しているんだ。友情なんてくそくらえだ」

しかしそう叫ぶには、自分には決定的なものが欠けているのだ。それは何か。しかし課題を出し、一緒に解くはずだった美季子は、もう自分から去ろうとしている。複雑にこり固まった大きな疑問に耐えかねて兼一はうめく。

「俺はいったいどうすればいいんだ」


「そんなわけで、ぜひウエディングドレスはこちらで作らせてください」

谷村真帆《たにむらまほ》は、それがトレードマークの、しゃれた赤い縁の眼鏡を何度も持ち上げる。月刊「バコール」は、四十代の女性をターゲットに定めて、このところ着実に部数を伸ばしている雑誌だ。キャリア女性に偏るのではなく、家庭の主婦にも目くばりしたのが成功の秘訣ともいわれている。

旅の情報コーナーで人気を得るようになってから、美季子はこの雑誌で小さなコラムを持つことになった。ブログを立ち上げるつもりでと、出かけたレストラン、職場でのちょっとした出来ごとなどを綴っている。原稿用紙にすれば二枚ほどの短いものなのだが、これが結構人気を得るようになった。

「働いている女の人の書くものって、どこか肩肘張ってるのが多かったけど、柳沢さんのは自然な感じで大好きです。アナウンサーって、特別な世界の人と思っていましたけど、このコラム読んだら、ふつうのＯＬなんだって共感持つ人が多いんじゃないですか」

真帆はいかにも仕事が出来る編集者らしく、美季子をおだてることを忘れない。言葉を尽くしてコラムを誉めてくれるので、美季子もこれを書くのが楽しみになってきた。そして今回、降ってわいたような美季子の結婚である。真帆は四ページのグラビアで、美季子の結婚式を記事にしたいと申し出た。

「四十代の理想の結婚っていうことで、ドキュメント風に撮りたいんです。もう主婦になってるんですから、結婚式の朝、キッチンでごはんをつくっているところからスタートしたいと思ってるんです」

とコンテまで用意していた。

「まさか、やめてよ、芸能人じゃあるまいし」

美季子は笑って手を振った。

「五十になるおっさんと、四十代の女の結婚式よ。絵になるわけないじゃないの」

「柳沢さん、うちの読者が四十代だっていうことを忘れたんですか。アンケートだと、うちの読者、六割が独身です。ですけど、これから結婚したいか、っていう質問に、七十パーセントがイエス、って答えてるんですよ。七十パーセント、すごいと思いませんか。こういう人たちが、みんな柳沢さんの結婚式を見たがってるんですよ。ねーだからうちでグラビアやってくださいよ。お願いします」

岡田に相談したところ、快く引き受けてくれた。

「結婚パーティーの写真を撮るっていうことは僕も出るのかな」

「そうらしいわ」

「それだったら、エステにでも行かなきゃまずいな」

などと美季子を笑わせた。

真帆にそのことを告げると大喜びだった。

「よかった。岡田先生に断わられたらどうしようかと思ってたんですよ。岡田先生って、写真で拝見しただけですけど、結構渋くてカッコいいじゃないですか。おまけにエリート医師。ねえ、柳沢さん、うちの読者をうんと羨しがらせてくださいよ」

今までの自分だったら、ただちに拒否していただろうことを、次々と引き受けているのが不思議だった。結婚という幸福を手にしたとたん、虚栄心や自己顕示欲といったものがパンドラの箱のように次々と溢れ出した。これは自分でも驚くほどであった。

「自分でもあさましく思うほどよ。今までウエディングドレスなんか、貸衣装をちゃっちゃって着ればいいと思ってた。そうでなかったら白いスーツのつもりだったのよ。それなのに人に見てもらいたい、綺麗って言われたい、っていう気持ちがわいてきちゃったの。全く私ってどうかしちゃったのかしら」

美季子はもう夫となった岡田に言う。

「読者をうんと羨しがらせてくださいよ、っていう言葉にビーンと反応しちゃったの。全く自分がこんなに見栄っぱりの女だとは思ってもみなかったわ」

「いいじゃないか、結婚ってそういうもんだと思うよ。女が一生でいちばん見栄っぱりで自分勝手になる時だ。むしろ君にそういうところがあって安心したよ」

こうしている間にも、女性誌の取材が幾つも入ってくる。ミズホテレビのスターアナウンサーが結婚した時も大きな記事が出た。が、それはスポーツ新聞で一度きりのことだ。一方美季子の場合は女性誌がほとんどで、それも絶え間なく取材の依頼がくる。どうやら彼女たちは美季子の結婚にさまざまな意味を持たせようとしているようだ。

「四十代をどう生きるべきか、考えあぐねている人たちに、柳沢さんの結婚はとてもいい答えを与えてくれる。自然に思うがままに生きる。そしてめぐり合った人を大切にする、ということだ。人生はいつからでもまたスタートが切れるということも、柳沢さんは教えてくれる」

などとこちらが気恥ずかしくなるようなキャプションが並んでいた。

「うちの読者も柳沢さんのウエディングドレス見たいはずです。いま四十代の女性の大注目は、柳沢さんの結婚なんです。ですからうちのグラビアで皆に見せてあげましょうよ。四十代の花嫁ってこんなに綺麗だって」

そして真帆は、イタリアのウエディングメーカーの会社が、ぜひドレスを提供させてくれと言っていることを告げた。

「やめてよ、自分のウエディングドレスくらい自分で買うわ。ウエディングドレスを提供してもらおうなんて、そんなこと考えたこともないわ」

「でもここのブランドは、貸衣装の値段で買える、っていうことが特徴なんです。遠慮するほど高いもんじゃありませんよ」

本物のイタリアのドレスが手頃な価格で買えるということで日本進出をし、若い女性を中心に業績を伸ばしてきた。が、来年の秋から、大人の女性のためにさらにクオリティの高いドレスをシリーズで売り出すということだ。

「早い話、おばちゃんでも似合うウエディングを開発するっていうことね」

「美季子さん、そんな言い方ミもフタもないですよ。とにかく生地もデザインも最高のものをつくりたいってことなんです。その売り出しの前に、ぜひ柳沢さんに着て欲しい、っていうのがあちらの希望なんです。チーフデザイナーが、特別に仕立てるって言ってます」

結局こうした言葉に押しきられてしまった。実は上司から、当日テレビクルーを入れていいかと聞かれたばかりだ。ワイドショーが取材するという。そうなってくると貸衣装というわけにもいくまい。

仮縫いの当日、麻布にあるアトリエに向かった。真帆とカメラマンと一緒だ。この様子もグラビアに撮りたいというのだ。

希望どおりシンプルなドレスが出来上がっていた。レストランの中でも浮かない、というのが条件だったので、スカートのラインもおとなしく、過剰な装飾もない、それだけに生地のよさが際立った。深い光沢をはなつイタリアンシルクだ。

袖をとおし、鏡の前に立った。タフタやシフォン、レースというのは特別の力があるらしい。自分でも恥ずかしくなるほど美季子は心が昂まっていく。

「何て素敵なの」

ヴェールを持って踊り出したい気分だ。古いミュージカルにこんな一場面があった。

「すごくお似合いです。このドレス、美季子さんにぴったりですね」

真帆もお世辞ではない感嘆の声をあげた。

カメラマンが近寄ってきて、鏡の前の美季子にシャッター音を聞かせる。その時、携帯のバイブレーションが動いた。岡田からに決まっている。ドレスを着たら写メールで撮りこちらに送ってくれと言いわたされていた。

しかし発信者は違っていた。

「ケンちゃん！」

美季子は叫んだ。

「ケンちゃんじゃないの。すごく心配してたのよ。いったいどうしたの」

「美季子か」

しわがれた老人の声がした。発信者の名がなかったら誰かがいたずらしたと思っただろう。

「もし、もし、美季子か」

「そうよ、どうしたの」

「俺はもう駄目だと思う」

「え、いったい何のこと」

その時、何がおかしいのか真帆とカメラマンが笑い声をたてた。

「楽しそうだな」

「ケンちゃん、いったいどうしたのよ？」

「あのさ、最近うつって診断されたんだ」

「ケンちゃん、今どきうつなんて、どうってことないわよ。いいお薬も出てるし」

「でも俺は効かなかった。毎日本当に疲れてどうしようもない。どうやったらここから脱け出せるか考えてたけど、もうそう考えることにも疲れたんだ。そうだったら、もう死ぬしかないだろう」

「そんな、ちょっと待ってよ。ねえ、ケンちゃん、どうしたの」

ウエディングドレス姿の美季子は、携帯に向かって大声で問いかける。

XI

ウエディングドレスのまま、美季子は立ちすくんでいる。兼一からの電話はとうに切れていた。かけ直したとたん、留守電のメッセージがまわり始めた。

「ただ今、電話に出ることは出来ません。ご用のある方は……」

いったいどうなっているのだろう。兼一はうつ病にかかっていると言った。確かに言った。函館で会った時も決して明るかったわけではないが、ごくふつうに会話もし変わった様子もなかった。あれから一年ほどたとうとしているが、人間がそれほど急激に病んでいくものであろうか。さっきそれを聞かされた時、

「今どき、うつなんて、どうってことないわ」

ととっさに口にしたけれど、それはいかにもおざなりの言葉だった。今まで兼一に対して、

おざなりの言葉を口にしたことは一度もない。問いかけられたら、一瞬のうちに深く考え、いちばん適切と思える言葉を彼に手渡したはずだ。それなのにさっき、自分はその誠実さを全く持っていなかった。ウエディングドレスを着ているという高揚感が、早くこの場を収めたいという気持ちを生み出したに違いない。

美季子は何度かしつこく携帯のボタンを押す。が、そのたびに同じメッセージが聞こえるだけだ。ふと思いついて自宅の番号に替えた。けれどこちらは呼び出し音が聞こえるだけだ。時間を見る。四時半だ。今、この時間に、小学生の娘や主婦がいないことがあるだろうか。いや、娘は塾や習いごとに行っているかもしれない。しかし、妻の多恵がいてもいいのではないだろうか。

美季子はさまざまな考えをめぐらす。うつ病という兼一は、どこかに入院しているのだろうか。いや、それならば携帯がかかってくるはずはない。たぶん自宅で療養しているのだろう。兼一の自宅はどこだっけ。彼が再婚してからは、当然のことながら一度も行ったことはない。年賀状では確か江東区の方だったはずだ。

美季子は、自分が兼一の私生活について、まるで知らないことに驚く。彼の家庭生活については、愛娘の名前と近況しか知らなかった。知る必要もなかったのだ。彼の家族というのは、美里しか思いつかない。

「どうしたんですか」

編集者の谷村真帆が遠慮がちに声をかけた。

「お仕事の電話ですか。大丈夫ですか」

おそらく険しい顔つきをしていたのだろう。仮縫いとはいえ、ウエディングドレスを着ている最中、こんな表情をする女はいないはずだ。

「あの、仮縫い、あとどのくらいで終わるかしら」

「そうですね。もう、フィッティングはほとんど終わっていますので、あと、写真を撮らせていただければ……」

「わかったわ。申しわけないけど、ちょっと早めに終わらせてね。緊急の用事が出来ちゃって」

「まあ、すいません」

真帆が恐縮するくらい慌て出した。

「カメラマンさんに言って、すぐ終わらせます。それからタクシー用意しときましょうか」

「すいません、近くの駅まで行ってもらうかもしれませんけど」

撮影が終わるやいなや、美季子はかつてのグループの一人の携帯を押す。

「ごめんなさい。今、外に出ていてケンちゃんの自宅の住所がわからないの。あなた、知ってる?」

「俺もわかんないなア。携帯に入ってんのは番号だけだ。家の住所録を見ればわかるけど……ちょっと待ってくれる。女房に調べさせるから」

「申しわけない。よろしく」

「そういえば、ミキコ、結婚すんだって」

「そうなのよ。正確に言えば、もう結婚したのよ。籍は入れたから」

「へえー、おめでとう。ミキコが結婚するとは思わなかったなあ。びっくりだよ。ミキコ、今流行りの〝おひとりさま〟になるんじゃないかって心配してたんだ」

「ありがとう。奇特な人が現れてくれたおかげでなんとか……」

美季子は苛立っている。祝福してくれるのはいいのだが、早く電話を切って、彼の妻に連絡して欲しい。

「うちの女房がさ、女性誌持ってきて見せてくれたよ。あなたの同級生の柳沢さん、結婚するんですって。相手はエリート医師よ。やっぱり頭のいい人って、じっくり待ってるのねー、私なんか早く決め過ぎて、今はこんなもんだもんねー、ときたよ」

気のいい彼は、美季子を嬉しがらせようとし、なかなか電話を切ってくれなかったが、その後の動きは迅速であった。

三分もしないうちに、電話があった。

「えーと、江東区東雲《しののめ》……」

急いでメモを取り出した。そして思い出す。酔った時に、兼一がふと漏らした言葉だ。前妻の美里に、毎月そう少なくない額を送金している。離婚の際に、毎月の慰謝料として決められたことだ。そのことは充分にわかっていることなのに、最近多恵が不満を漏らす。大手の出版社に勤めているのに、都心からはずれた賃貸マンションに住まなければならない。子どもを私立に行かせることも出来ないと、時々なじられることがあるのだと。

しかしそれは苦笑い、と言った表情で語られた。兼一はなんとか耐えていたのだ。彼と新しい家庭との均衡は美里の死によって破られてしまったのだ。

近くの駅までのつもりだったのだが、最後まで車を使ってくれと真帆は言った。

「今の時間だったら、車で行ってもそんなに変わりありませんよ。今日はお忙しいところ、ひっぱりまわしたんですから、どうかお使いください」

このところ、自分に対してみんなむやみに親切になっていると美季子は感じる。思わぬ人気が出て、自分に多少の利用価値が出てきたこともあるだろう。それよりも自分が完璧な幸福に包まれていることも大きいに違いない。こうなってみて初めてわかったことであるが、幸福のまっただ中にいる人間というのは、威厳さえ身につけていて、まわりの人間は何かと気を遣ってくれるのだ。局内の雰囲気でさえ確かに変わった。上司たちの態度が、微妙にこちらにおもねるようになったのには驚くほどだ。それは自分の後ろにいる、夫になったばかりの男の存在も大きいだろう。医師にして大学教授、何冊もの著書もある男。四十過ぎた独身女という立場から、どうやら自分は〝出世〟したらしい。そして美季子は、そのことを無邪気に味わっていた。けれど、それに突然水を差したのが兼一からの電話だったのだ。

自分はいったいどうするつもりなのだろう。

美季子は車のシートにもたれてから、もう何回としている問いをもう一度する。

自分はいったいどうするつもりなのだろうか。

家は留守かもしれない。よしんば兼一がいたとしても、自分は何を言うつもりなのか。妻が帰ってきたら、どうするのか。嫌な顔をするはずだ。

以前、夕食を共にした者の話によると、あきらかに、夫の旧《ふる》い友人たちを嫌っているそうだ。特に夫の学生時代の友人のことになると、拒否反応を示すらしい。あたり前だ。彼の前妻は、大学時代からのつながりで、彼女はその妻から夫を奪ったのだ。前妻の死をもってしても、彼女の心は穏やかになることはないだろう。

そんな女の前で、自分はどう振るまえばいいのだ。何をどう言っても、誤解されるような気がする。いや、彼女は妻独特の勘で、夫と旧い友人との間に何かあったことを見抜くかもしれない……。

もうそんなことはどうでもいいと美季子は思った。兼一は自分に救いを求めてきたのだ。

自分は何を差しおいても行かなくてはならない。美里の替わりに。いや、もうそれは嘘だ。美里は死んでしまった。もうこの世にはいない。自分は美里の代理として行くのではない。柳沢美季子という、ひとりの女として出かけていくのだ。

しかし、それに大きな足枷《あしかせ》があることに美季子は気づく。自分はもう人妻なのだ。柳沢美季子ではなく、岡田美季子になっているのだ。

車で行って本当によかった。タクシーの運転手は、カーナビを使い難なく兼一の住むマンションの前まで連れていってくれたのだ。

新築で低層のそう悪くはない建物だ。もっと都心にあれば「高級マンション」と名づけられただろう。

長年マスコミの世界にいる美季子は、こういう際の行動がすばやい。郵便受けで部屋番号を確かめインターフォンを鳴らした。五回鳴らし、やはり留守だと諦めかけた時、男の声がした。

「もし、もし……」

「ケンちゃん、ケンちゃんね」

美季子はインターフォンに向かって叫ぶ。

「私、美季子です。心配になって来てみたの。ここを開けて頂戴」

カメラレンズに向かって叫んだが、そんなことをする必要もなかった。ドアはすぐに開いた。

エレベーターで四階へ上がる。四〇三号室は右の方だ。近づくとドアが開きかけた。内側に男が立っていた。

「ケンちゃん……」

美季子は息を呑んだ。兼一だとわかっておらず、道ですれ違ったとしたら、自分ははたして気づくだろうか。最後に会った時からたった一年ほどしかたっていないのに、げっそり痩せて頬がこけている。前髪のあたりは、白いものの方が多いくらいだ。それよりも美季子を驚かせたのは、兼一の表情だった。生気というものがまるでない。目は美季子を見ているのだが、素通りしているようだ。無精髭に囲まれた唇が動いた。さっき携帯で聞いた時よりも、はるかに呂れつがまわらない。それよりも声のトーンがまばらで、奇妙に高くなったり、低くなったりすることを、アナウンサーの耳は聞き逃さなかった。

「美季子か……」

彼は長い眠りから醒めたような声を出した。

「よく来てくれたね。まあ、中に入ってくれよ」

おそるおそる家の中へと入った。想像していたような悲惨な状態はなく、ゴミが積み重なっているわけでもない。けれども饐《す》えたようなにおいが、むっと鼻をついて、美季子は思わず言った。

「ねえ、窓を開けてもいい」

「くさいか」

うん、くさいよ、と以前の美季子だったら答えただろう。けれどそんなことは今は言えない。確かに兼一は病んでいるのだ。

「くさくはないけど、空気がこもってむっとしてるの。悪いけど、窓を開けるわ」

リビングルームのガラス戸を半分開けた。サッシの溝に、小さな黒い虫が死んでいるのを見た。それを見たとたん、この家の妻は出ていったのだと直感した。

「コーヒーでも淹れようか」

「お願いします。人のうちは勝手がわからないから」

コートを着たまま、美季子はダイニングテーブルの椅子に座る。新聞は畳まれて置かれていたが、十日前のものだった。

コーヒー沸かし機を用意している兼一の後ろ姿に、もう一度目を見張る。痩せているのは後ろからの方が、さらにはっきりとわかる。ジャージーの部屋着のようなものを着ているのでなおさらだ。肉が落ちた尻が、ジャージーのズボンにだらしない弛みをつくっていた。

しばらくは黙って、二人でコーヒーをすする。最初に口を開いたのは美季子の方だ。

「いつからなの……」

「そうだなァ、医者に通い出したのは半年以上も前かな」

「お医者さんは何て?」

「うーん。最初は薬を飲みながら、ゆっくり治していきましょう、ってことだったけど、この頃は、少し時間がかかるって言い出したな。もらう薬の量も少しずつ多くなってる」

やはり声の出し方がおかしい。急に音量が大きくなったり小さくなったりする。

「うつ病って、うちの会社にも多いの。元気で仕事バリバリやってて、うつ病とは縁もないような人が、ある日突然具合悪くなっちゃうのよね」

自分はまたあたりさわりのないことを口にしていると思うが仕方ない。今の自分に出来ることは慰めと励まし以外にはないのだ。そういえば大昔の映画に『お茶と同情』というのがあるのを思い出した。確か教師が自分の妻に言うのだ。君は人妻なのだから、悩みごとをする生徒にお茶と同情以外のものを与えてはいけないよと。

「僕もびっくりしてるんだ。自分の体がまるで自分じゃないみたいだよ……。朝、起きようとしても体が動かない。本を読もうにも、頭が働かないんだ」

「そう……」

しばらく沈黙があり、今度は兼一の方から言った。

「結婚したのか……」

「そうなのよ。自分でもびっくりしてるわ」

「びっくりしてるって、どういう意味」

「それは……」

言葉につまる。半分照れ隠しで口にしたものを、問いつめられると返事のしようがない。

「それは、知り合ったばっかりの人と、急にとんとんとことが運んだからよ」

「ってことは、自分でも納得してないってことなんじゃないか」

「そんなことはないわ。ただ結婚って、こんなに簡単に決まるんだって、ちょっと意外だったの」

「知り合ったばっかりの男……」

兼一はその意味を確かめようとでもするように深呼吸をした。

「知り合ったばかりの男と結婚するのか……」

「もう籍は入れたのよ」

「そうか……。美季子は」

兼一は初めて目を合わせた。白目が濁っている。こちらを凝視しているのに、やはり視線は上滑りをしているような目だ。

「美季子は俺を捨てるのか」

「捨てるなんて……」

驚きのあまり声が震えたのがわかる。兼一が未だかつて、これほどみじめなことを口にしたことはない。美里が死んだ直後も、あの函館で美季子にむしゃぶりついてきた時にも、彼にはもう少し矜持《きょうじ》というものがあった。

「美季子まで、僕を捨てるのか。僕を裏切るのか……」

「裏切るですって」

あまりのことに大声をあげた。ここにいるのは兼一ではない。別人だと思えるほどだ。兼一はこれほど愚かで自分勝手なことを口にする男ではなかった。

「ねえ、ケンちゃん、よく聞いて。今まで一度も私はあなたのものだったことはないわ。いい、今から二十年前、あなたは私じゃなくて美里を選んだ。美里と恋人になった。そして結婚した。それから八年前、今度あなたは今の奥さんを選んだ。今まで一度も……」

その時、不意に涙が出た。そうだ、そのことに初めて気づいた。いや、気づいてはいたけれど、本人の前で初めて口にした。

「一度もケンちゃんは私のことを選んでくれなかった。それなのに、どうして、捨てるとか、別れるとか言うの。現にあなたには、奥さんとハナちゃんがいるじゃないの」

「二人は実家へ帰ったよ。たぶんもう駄目なんじゃないかと思う」

「それならばもっと勝手じゃないの」

涙はいくらでも出てくる。

「美里も死んだ。奥さんも行っちゃった。残っているのは私だけ。その私に急に目をつけて、捨てるとか、裏切るとか言うのは違うんじゃないの。私が結婚したんで惜しくなったの。人のものになったんで腹が立つの。だからって今さら、いろんなことを言うのは違うわ」

「仕方ない。気づいたんだよ」

奇妙に高い声を撥《は》ねつけようとした。しかしその声にどうしようもないせつなさがにじんでいる。

「函館で気づいたんだよ。俺にとって美季子がどんなに大切な人かが。その前からだってずっと気づいてた。だけどわからないけど、美季子は俺の人生とはかかわりを持つことなく生きていく女だと思ってた。遠い、っていうんじゃない。なんていうか、美季子は颯爽《さっそう》とひとり生きている女で、俺が恋したり、愛したりするのとは違うと思ってた。美季子を手に入れるのは、男の親友としてだと思ってたんだよォ……」

〝よォ〟と子どもがなじるように語尾をひいた。

「俺が美季子を選ばなかったんじゃない。美季子が選ばせないようにしたんだ」

「ずるいこと言ってるわ。女は選ばれて、愛してもらってなんぼなのよ。今さらそんなこと言っても遅いわ。私、結婚したのよ。私、幸せなのよ。ケンちゃん、あなた、私の幸せを壊そうっていうの」

涙はいくらでも出てくる。美季子は拭《ぬぐ》わない。兼一にとめどなく流れる涙を見せつけたいと強く思った。

「ねえ、ケンちゃんは間違ってるよ。私と恋人になれば、時間を元通りに出来ると思ってる。また二十歳の時に戻れると思ってる。美里もいて、楽しくって笑いころげてた日が来ると思ってるんだよ。だけど違う。時間は元に戻らない。ケンちゃんは私じゃなくて、美里と今の奥さんを選んだの。そこでもう、すべては終わったの。あとは思い出だけなの」

「だけど、美季子は、函館で言った。俺のことを好きだったと」

「それはそうかもしれない。私は今でもケンちゃんのことが好きよ。だけどそれは、今、どうのこうのしよう、なんてことじゃないの。私の中でもう、整理出来てることなの」

「でも、僕はまだ整理出来ていない。終わってもない」

兼一の中で〝僕〟と〝俺〟とがごっちゃになっている。がっくりと腰をおとし、訴えるようにこちらを見つめるみじめな男。早くここを出ていき、ドアを閉めるのだ。そして夫の元に帰り、今日のウエディングドレスの仮縫いのことを報告する。そしていつものように二人で日本酒をさんざん飲み、ニュースを見ながら政治家の悪口をさんざん言い合う。さあ、早く立ち上がるのだ。そしてこう言おう。

「思い出と今の感情をごっちゃにするのはやめようよ。ケンちゃんにとって、私は二十歳の時の日々なの。だから私にこんなに固執するのよ」

しかし美季子は立ち上がることは出来なかった。その代わり兼一の手を握った。自然と手が伸びた。どうしても彼のぬくもりを確かめたくて思わずそうした。冷たく大きな手だった。

「ケンちゃん、私はどこにも行かない。だから元気を出して」

これは「同情」だろうか、違うものだろうか。あの映画はどうなるのだっけ。そう、夫の教え子に「お茶と同情」以上のものを与えた人妻は、少年と恋におちるのではなかっただろうか。同情が何なのかわからないまま、美季子は喋り続ける。

「ケンちゃん、ねえ、元気になって。ケンちゃんが元気になるまで、私はずっと側にいるから。ただし友だちとしてよ。友だちとして私は出来る限りのことをしてあげる。私の夫は精神科医なの。だからきっといろいろ相談にのってあげられる。それから私はあなたの奥さんに頼んで、きっと家に帰ってもらうようにする。ね、だから頑張って。元気を出して」

その時、兼一は不意に顔を上げた。それが「私の夫」という言葉に反応したのだと美季子が気づいたのはずっと後のことだ。

岡田はじっと美季子の話を聞いてくれた。その真剣で穏やかな表情は、診察室での彼の姿を思わせる。美季子は注意深く言葉を選ぶ。函館でのことは、話そうかどうしようかと迷ったがやはりやめた。岡田と結婚する前のことであるが、兼一に対して嫉妬という感情を混入させたくなかった。

「僕だったら入院を勧めるね」

きっぱりと言う。

「入院だったら思いきった治療も出来る。前は電気ショックといったらとんでもないことのように思われていたけれども、今は無痙攣《けいれん》通電療法といって、うつ病にかなりの効果があることがわかっているんだ」

「ねえ、あなたの知っている、どこかいいところを紹介してくれないかしら」

「そんなことはおやすい御用だけれど、彼の奥さんはいったいどうなってるのかな」

「再婚した若い人なのよ。彼のうつ病の原因が、前の奥さんの死んだことにあると思ってて、いたたまれない気分みたいね。自分が責められてるみたいに思ってるんじゃないかしら。だからことは複雑なのよ」

「なるほどね」

岡田は頷いた。手には日本酒を手にしている。新潟の蔵元から直接届けられる辛口の純米酒だ。

「だけど君は何も出来ないよ」

美季子ははっと顔を上げた。聞き違えたのかと思った。兼一とのことをすべて話しているわけではない。それなのに夫にはすべてわかっているかのようだ。

「君が何をしようとも無駄なことだ。君には何も出来ない。君はその人を救えないし、話すことも出来ないんだよ。そういうことは医者と本人にまかせておきなさい。もうそんなにかかわりを持ってはいけないんだよ」

美季子の背筋がざわざわと揺れる。ひとりの男のものになるというのはこういうことなのだ。たとえひとかけらの〝同情〟も他の男に与えることは許されない。

「美季子は俺を捨てるのか」

この言葉は、人妻として決して耳にしてはいけなかったのだ。けれどももう遅い。しっかりと耳にこびりついてしまった。今夜夫に激しく愛されようとも、何度も甦るに違いない。

「美季子は俺を捨てるのか」

かかわりを持っているどころではない。自分の人生は兼一と、そしてもうひとり美里から逃れることは出来ないのだ。美季子は体中がざわざわと揺れていくのがわかる。

XII

十二月の結婚パーティーということで、客を案じていたが、ほとんどの人が出席に丸印をつけてくれた。

「この年になると、クリスマスパーティーにも縁遠くなっているから、こういう華やかな集まりがあると嬉しいよ」

そう言ってくれたのはアナウンサー室長藤井である。彼は何かと世話をやいてくれて、今夜の司会者を人気者の村上未来に頼んでくれた。いくら後輩といっても、局きってのスターアナウンサーに依頼するのは遠慮していたのであるが、彼は気にするなと何度も言った。

「彼女がフリーになったら、いちばん手っとり早く稼げるのは結婚式の司会なんだ。その練習と思えばいいんだしさ」

芸能人だけでなく、一生に一度の披露宴の司会を、有名アナウンサーにやってもらいたいという人間は多いものだ。フリーの大物有名アナウンサーで三百万円、顔を知られたキー局のアナウンサーだと、一回百万円近い謝礼が払われる。が、この何年かは自粛の方向に向かっていて、ミズホテレビでもアナウンサーのアルバイトは禁じられるようになった。披露宴の司会をしてもいいのは、身内や会社の同僚だけという規定がつくられたのである。ということで、ほんのお車代程度のものしか払っていないが、今をときめく村上未来が司会をするということで、今夜の結婚パーティーは大層盛り上がるに違いない。

未来は、といえば、この頃また週刊誌をにぎわすようになった。長年交際しているプロ野球選手と、ついに結婚かと騒がれているのだ。お笑い芸人のところから朝帰りしている姿を写真週刊誌に撮られ、一時は破局と報じられていたのだが、野球選手はどうやら彼女のことを許したらしい。それを週刊誌は「男の度量」などと書きたて、未来もろともカメラマンに狙われる身となった。しかし彼は大リーグに移籍するという噂もあって、未来との仲は安定しつつも足踏み状態といってもいい。それをいいことに局側は必死で未来を引き止めているのだ。もし未来ほどの人気者を、今ほど忙しく使おうとしたら、一億のギャラを用意しなくてはいけないと、これまた週刊誌が試算していた。

いずれにしても、今夜の目玉は花嫁姿の美季子と、司会をする未来だろう。岡田側の参列者は、医者や大学の教師といった地味な面々だが、まるで芸能人の披露宴に出るかのように浮き立っているという。

「花嫁にサインはしてもらえるか、写真は一緒に撮っていいのかなんて、国立大の教授が電話をしてくるから、バカヤローと怒鳴ってやったんだ」

岡田はさもおかしそうに笑った。花婿はとても機嫌よく幸福そうだ。あの日の会話などすっかり忘れたように見える。美季子が兼一のことを相談した時のことだ。あくまでも冷静に、しかしきっぱりと言った。

「だけど君は何も出来ないよ」

あれ以来、夫となったばかりの男に、兼一のことは話題にものせない。自分も兼一と電話で会話することもなかった。

「今は目をつぶろう」

美季子は自分に言いきかせる。とにかく今、自分は幸福になるために最大速度で走り抜かなくてはならないのだ。女にはそういう時がある。過去のしがらみ、過去の男のことなどいっさい脳裏にうかべることなく、一直線に進まなくてはならない。若い女ならともかく、そうしなくては、どうして四十過ぎた女がウエディングドレスなど着られるだろう。

ウエディングドレスは、とても似合っている。シンプルな形にしたのが成功して、それは白いイブニングドレスのように、品よく大人の美しさをひき出している。美季子はもともとデコルテには自信をもっていたが、やや大きめの胸の開きから、くっきりと硬そうな鎖骨が見え、それがとてもセクシーだとヘアメイクの景子《けいこ》は言う。グラビア撮影などで時々頼んでいる彼女は、ウエディングドレスに合わせて、品のいい優しげなメイクをしてくれた。

「美季子さん、いつもはピンクのチークを嫌がるけど、今日は花嫁さんですからね」

大きめのブラシを動かすと、においたつような自分がいた。なんて綺麗なんでしょうと、その場にいた人々から声が漏れた。

「まさか、ミキちゃんのウエディング姿が見られるなんて……」

黒留袖姿の母親が涙を拭い、美季子は大層驚いた。自分にそんなありふれた、ドラマティックな場面が起こるとは考えてもみなかったからだ。

そこへタキシード姿の岡田が入ってきた。

「おお、すごいなあ」

彼は叫んだ。

「僕の友人には見せられないな。奴ら、嫉妬で怒り出す」

みなが笑った。美季子はバカ、と鏡の中で岡田を睨む。彼は、いいじゃないか、という風ににっこりと笑った。あまりにもわかりやすい幸福で照れくさいぐらいだ。今までわかりやすい幸福というのは、理解力のない若者たちのもので、大人の幸福というのは、もっとビターを含んだ複雑なものだと思っていた。しかしどうだろう、こんな単純な幸福の前に、みんな何のてらいもなく、笑ったり涙ぐんだりしているのだ。

こんな時、ちらりとでも兼一のことを考えるのは、自分を愛してくれている善良な人々に対する裏切りというものだろう。彼のことを考えるのは、ほんの少し休止するつもりだ。結婚生活に慣れ、生活の基盤が整ったら、そっと兼一のために力を費やす。もう一度岡田にきちんと話し、力を貸してもらうつもりだ。

初めてこれを着てわかったことであるが、ウエディングドレスというのは、着るのになんと体力を使うのだろうか。慣れないロングスカートだから、というのではない。背筋をしゃんと伸ばし、常に微笑みをたやさず、優雅に手を動かす、女王のように貫禄を持ち、姫君のように愛らしく客の前に立たなくてはならないのだ。ここで使うエネルギーは大変なもので、あと一週間はぐったりと暮らすに違いない。

五時半からカクテルタイム、という趣向であったが、五時過ぎから客は集まり始めていた。招待客は七十名、もう十名増やしたくて交渉したのであるが、レストラン側はこれが精いっぱいだという。コース料理は隅々まで美季子が検討した。フレンチなので、シャンパンとワインで統一したいところであるが、二人を結びつけたきっかけになる日本酒を混ぜておくのも忘れない。

「柳沢さん、素敵ですね。いかにも大人のウエディングっていう感じです」

編集者の谷村真帆が、大げさなぐらいに誉めそやす。美季子がコラムを書いていた、彼女が勤める女性誌は、美季子の結婚をグラビア付きで大特集するという。そのために真帆は、ドレスのフィッティングから、レストラン側との打ち合わせの場所まで、ずっと美季子にへばりついていたのだ。

ウエディングドレスを着終わったところで、美季子は玄関に立つ。局の広報部を通じて、スポーツ紙が四紙、女性週刊誌が三誌、取材を申し出ているのだ。ワイドショーのクルーも来ている。驚くほどの数だ。どこも美季子のウエディングドレスを撮らせてくれとカメラマンも待機している。美季子は頭の中ですばやく計算する。昨日、今日とたいしたニュースはなかった。アイドルの写真集出版とサイン会、演歌の歌手が離婚を発表したが、この二つはベタ記事程度だろう。それよりも話題のスターが共演する映画が初日を迎え、その舞台挨拶に二人が立ってこれがたぶんいちばん大きく扱われるはずだ。たぶん自分の結婚のニュースは、二番めか三番めのあたりか、そう小さくない記事になるはずだ。美季子もマスコミに生きるものとしてこのくらいの見栄を持っている。自分のプライバシーをさらすなら少しでも大きな記事にして欲しいという気持ちは確かに浅はかなものだ。が、夫になった人はきっと理解してくれるだろうと思っていたがやはりその通りだった。岡田は言う。

「僕はふつうのおじさんだから、テレビに一緒に出たりはしないよ。君のイメージっていうものもあるからね。雑誌も約束したとこだけだ。だけど美季子はいっぱい写真に撮ってもらいなさい。それも仕事のひとつなんだろう」

記者たちは美季子のまわりを取り囲む。女の記者が二人ほどいて、美季子の美しさを誉めそやした。それはまんざら世辞とは思えないほど、熱がこもっている。

「柳沢さん、おめでとうございます」

「ありがとうございます」

「本当にお綺麗ですねえ……。思わず見惚れちゃいました」

中年の女の記者は、職業上とはいえ実に親身で優しげな声を出した。

「恥ずかしいわ。こんな年してウエディングドレスなんて。皆さん、本当は笑ってるんじゃないかしら?」

こういう風に自己韜晦《とうかい》して見せるのも、知的な女に見せるために大切なことだということを美季子は知っている。案の定女は、好意に充ちた笑顔になった。

「とんでもない。本当にお綺麗ですわ。ねえ、ご主人は何ておっしゃったんですか」

「あちらもおじさんですから、黙ってちらっと見ただけですよ」

記者に向かって、本当のことなど喋るわけはない。

「きっと照れてらっしゃるんですよ」

「そうでしょうか」

「柳沢さんは、今や四十代女性の輝く星です。頑張ればこんなに素敵な結婚が出来るって、私たちに夢と勇気を与えてくださったんですよね」

「とんでもない。おじさんとおばさんが知り合って、老後が心配で一緒になるだけですよ。

素敵でも何でもありません」

「いえ、いえ、今日の柳沢さんのお顔を見ると、本当にお幸せだってことがよくわかります」

パシャパシャとフラッシュが、美季子を囲みながら光る。こんなことは初めてだ。結婚する日に、美季子はまるでスターのように扱われているのだ。

「柳沢さん、お子さんのご予定は」

まさか、と言いかけたが、それは自分の本心でないことに気づいた。フラッシュを浴びているうちに、とても素直な気持ちになっていくのは不思議だった。

「出来たら嬉しいですね。そうなったら幸せでしょうね」

「まだお若いんですから大丈夫ですよ。柳沢さんの結婚は、今、世の中の女性たちの注目的なんですから。ぜひ赤ちゃんをつくってくださいね」

「ありがとうございます」

美季子は心から礼を言った。目の前の女が、世の中の善意を代表していると思った。なんていい人たちなんだろう。そしてなんて幸せな夜なのだろう。報道陣の後ろを、今夜の招待客たちが通っていく。着飾った人たちは、みんな祝福の笑みをおくってくる。願っていたものがみんな手に入ったような夜だった。フラッシュがまたたかれる。その時美季子はある男のことなど全く忘れていた。

「どうしてこんなことになっちゃうのよォ」

二人の間には、緑の罫線が引かれた離婚届の用紙が置かれていた。兼一にとっては初めて目にするものではない。昔、別の女の前にこれを差し出したことがある。

「すまない。子どもが出来たんだ……」

あの時、前の妻がどんなことを言ったかほとんど憶えていない。美里の顔を見ないようにし、耳を塞ぎ、じっと自分の膝に目を落としていた。あの時着ていたのは、灰色のフラノのズボンだ。今と同じような季節だった。そのズボンにはプレスがしてあった。それは子どもを身籠った別の女がしてくれたものだ。あの頃、多恵ともう一緒に暮らしていた。今日だけは帰らないでくれと多恵が言い、その〝今日だけ〟が次第に積み重なっていった結果だった。だから美里はもう多くのことを悟っていたに違いない。

儀式のように、別れようとする夫婦の間にはテーブルに離婚届が置かれる。今もそうだ。違っているのは、前に座っている女だ。八年前、この女のために妻と別れることになった。そしてその女は、妻となり前に座り、離婚届を見つめている。違っていることはもうひとつあって、前の妻はこんな風に大きな声をあげなかった。そのことだけは記憶にある。

「ねえ、私たちって、やっぱり駄目なの。どうしてこうなっちゃうのよ」

その言葉を多恵はもう五回ほど繰り返している。

「どう考えたって無理だろ」

そう言った後、うまく言葉を繋げようとするのだがうまくいかなかった。つい途切れ途切れになるのは、兼一にとってはいつものことになりつつある。

「もう限界だってことを感じているのは君の方だ。もう長い間、帰ってこないじゃないか……」

「だって、実家に行くように仕向けたのはあなたじゃない。私をいたたまれない思いにさせたのはあなたなのよ」

なるほどこういう言い方もあるのかと兼一は思い、笑おうとしたのだがうまくいかなかった。ますます強くなる薬のせいか、言葉と同じように口のあたりもこわばったままよく動かないのだ。

「私ね、勝手なようだけど、今、この時を乗り越えれば何とかなると思ってる。あなたの病気は一時的なもので、もうちょっと我慢すれば元に戻れるって信じてるの」

「本当に、そんなこと考えてるのか」

「そりゃ、そうよ。夫婦だもの。私の力でね、あなたをきっと治してみせるつもりだったの」

「そんな……、心にもないことを言わなくてもいいよ」

やっとなめらかに笑いが漏れた。

「君はもう僕から逃げたい。そして僕も、もう君を逃がしてやりたい。それだけのことさ」

「そうはいかないのよ」

多恵の目がすばやく動いた。こんな時でも若い彼女の顔に窶《やつ》れは見えない。綺麗にカールされマスカラが丁寧にほどこされた目だ。

「だってハナを母子家庭の子にしたくないもの。あの子、どんなに傷つくかわかんないわ。ホントにパパっ子だったし。それにね、離婚したってことになると、これから先、受験にも不利なのよ。私、ハナにそんなハンディ負わしたくないの」

なるほど本音はそれだったのかと、兼一は久しぶりに楽しい気分になった。この半月というもの悩みに悩んで、やっと出した結論だった。しかしこれだけは言える。相手は自分が考えていたよりも、はるかに浅い傷で済むだろう。それをとても願っている自分がいる。

「ハナは可哀想だと思う。だけど今はこうするのがいちばんいいと思うんだ。こんな生活をだらだら続けてたって仕方ない。君もハナも僕の被害者になることはないんだよ」

やっとひと息に言った。そうだとも被害者だ。空気がこもった家の中で、妻と娘が息を潜め、つらそうにしていたのをずっと見てきた。あれがどれほど自分を苦しめていたか。多恵もつらかったかもしれないが自分もつらかった。

「もう、いいだろう……」

彼は言った。

「君とハナは僕にとってとても大切な人だ。だから君たちをひきずり込みたくない。俺の病気はいつ治るかわからない。最初は甘く見ていたが、かなり時間がかかりそうだ。会社だっていつまで待ってくれるかわからない。もしかすると、失業者の病人に一生かかわり合うことになる。そんなの、君には耐えられないだろう」

「馬鹿にしないでよ」

多恵はもう一度大きな声をあげる。その声の調子は、先ほどまでのものとは違っていた。きっと兼一を睨んでいる。ぴんとはね上がったマスカラのカールが、かすかに震えているのがわかった。

「ねえ、私のこと、そんな女だと思ってるの。亭主がちょっとうつ病になれば、さっさとしっぽ巻いて実家に帰って、簡単に離婚届にハンコ押すような女。そういう女だって、私のことを見くびってるでしょ。そりゃ、実家に帰ったのは悪かったわ。だけど仕方ないでしょ。私、すごく疲れてたんだから。ちょっと休みたいと思って親のところへ帰った。だけどそれが、そんなにいけないことなの。これで私たち、本当に終わりなの……」

前向きといえないことはない妻の言葉であるが、少しも胸に響いてこない。それどころか、もうやり直しがきかない、ということがどうして妻には全くわからないのか、ということが兼一には不思議だ。相変わらずクリアに働いてくれない脳を使い、言葉を組み立てていくのは、少々むずかしい作業であったが、兼一はゆっくりと語り出す。

「こんなことを言うのは、本当にいけないことだと思うけれど、多恵とは最初からどこかずれていたんだ。そのずれを修正しないままここまできてしまった。だからいろんなことに綻びが出てきたんだと思う」

「何よ、その言い方」

多恵の目から涙が溢れ出した。

「もってまわった言い方しちゃって。結局、私との結婚は最初から失敗だったって言いたいんでしょ。私はどうなるの。人の旦那を子どもつくって奪い取って、今度は離婚だなんて、これで完全に悪者じゃないの」

「誰も多恵が悪者だなんて思わないよ。人間が生きていけばいろんな変化が起きる。それだけのことだ」

「いいえ、そうだわ、私は悪者よ。前の奥さんは死んじゃって、そしてあなたは今、うつ病にかかってる。それもこれも私のせいだって世間の人は思ってる。それで今、別れるなんてたまんないわよ。私、絶対に離婚なんかしないから」

「多恵は、世間体のために僕と別れないっていうのか。それは、とても愚かなことだと思うよ……」

「違うって言ってるじゃないの」

多恵は若い娘のように、流れる涙を指の先で拭う。

「私は、まだケンちゃんのことが好きなの。諦めきれない。今、ここで終わるのはイヤ。私、まだ幸せになりきってないんだもの」

幸せになりきっていない……。それはどういう意味だろうかと兼一は考える。

「今まで、結構幸せだったじゃないか。ハナと三人で楽しく暮らしてきたよ」

「いいえ、そんなことはない。あの女のせいでね」

涙を拭うのをやめた。多恵の顔は先ほどからめまぐるしく変わっているが、今度はひどく老けた表情になっている。

「美里さんのことは申しわけないと思っている。あの人に恨まれたり、嫌われたりしても仕方ない。それは私がしたことが原因だからってちゃんと知ってるから。でもね、私が我慢出来ないのは、柳沢美季子っていうアナウンサーの女よ」

「美季子は関係ない」

「ほら、何度も言ってるでしょ。あの女を呼び捨てにしないでって。あなたがさ、ミキコ、ミキコ、って口にするたびに、私、背筋がぞーっとしてたのよ。本当にイヤだったの」

「仕方ない。学生時代からの友人なんだから」

「それがイヤらしいっていうの！」

多恵は唇をゆがめた。

「第一、アナウンサーになろうって思うところが私はイヤ。自分がうんと美人だってことを知ってる女じゃなきゃ、アナウンサーになろうなんて思わないわ。芸能人になる根性はないくせに、テレビにちゃらちゃら出て、何かっていうと私たちは芸能人じゃありません、OLですって気取っちゃってうまく逃げる。あの柳沢美季子って結婚したんですって。雑誌やテレビにいっぱい出てたわ。ウエディングドレスでグラビア飾ってた。まるで芸能人よ。人の家庭をめちゃくちゃにしといて、何くわぬ顔でエリートをつかまえたのよね。そしてしたり顔で、女の幸せがどうのこうの、きちんと生きていくことが大切だとか、お説教たれてさ。私、美容院で読んでて吐きそうになっちゃったわ」

「待ってくれよ。彼女は本当に何も関係ない。どうしてうちをめちゃくちゃにしたんだ」

「だってそうでしょ。美里さんにぴったりついて、あなたをあれこれコントロールしていたのよ。親切ぶったふりをして、長い友人だとか言っているけど違うの。あの女はね、ずっとあなたが好きだったのよ。ねっとりとあなたのことを狙ってたんじゃないの」

「おい、よせ、そんな出鱈目《でたらめ》」

「出鱈目じゃないわ。証拠を言いましょうか」

多恵は勝ち誇ったように笑った。全く今夜の多恵はどうかしている。何かが乗りうつったようだ。啞然《あぜん》としている兼一に痛烈な一撃が下された。

「あなたさ、あの美季子っていう女と函館へ行ったでしょう」

言葉も出ない兼一を、むしろ楽し気に見た。

「有名人って大変よね。あの時、誰かが携帯で撮ってたのを、今またネットに流してるのよ。でもね、相手があなただって誰も知らない。『これが柳沢美季子のダンナで、二人は婚前旅行に来てた』って書いてあったわ。まさか不倫相手だなんて思わないんでしょうね。いいえ、この男は違う男です。あの女は人のダンナと旅行に来てたんですって書き込み入れたらすっごく面白いでしょうね」

「おい、やめろよ」

「あの女は、いけしゃあしゃあとウエディングドレスを着て、いろんなところに出まくってるのよ。あなたのことをまだ好きなくせに、他の男と結婚して幸せになったふりをしてる。それが私には許せないの。そして、あなたもあの女のことが好きなの。今、あの女が結婚したもんでとてもつらい。だからもっと同情をひこうとして、私と別れようとしてる。どう、図星でしょ」

「多恵、おかしなことを言って、俺をこれ以上苦しめないでくれよ……」

「あなたさ、自分だけが苦しんでいると思ったら大間違いよ。私はずーっと悪者にされて、別れた奥さんに苦しめられて、今度は奥さんの亡霊に苦しめられている。そこにあの女がいろんなことを邪魔している。私はね、あの女を絶対に許さないつもりよ。そしてあなたと絶対に別れない。もしあなたがひとりになったらあの女は迷うはずよ。そんなこと、絶対にさせるもんですか」

頭が重い。妻の最後の方の言葉は、もう理解することが出来なかった。

XIII

長びく不況の影響は、放送界にもしのび寄っている。いや、直撃した、と言った方が正しいかもしれない。さまざまな面で節約が言われ、出演者の弁当から送迎の車、といった細部までコストダウンが命じられた。制作費の減少は当然のことで、ミズホテレビでも巨額のギャラを取る大物司会者二人が消えたほどだ。いつも弱い立場で無理難題を押しつけられる下請けの制作会社は、悲鳴を上げるどころか廃業を宣言したところもあるという噂だ。

アナウンサー室にもさまざまな異変が起きた。アイドル並みの人気を誇っていた村上未来が、〝できちゃった婚〟の末、退職したのである。相手はかねてから噂のあったプロ野球選手だ。彼は報道陣に対し、

「これで吹っきれたので、子どもと三人で渡米し大リーグをめざす」

と宣言し、これまた大きな話題となった。このところ女性アナウンサーとプロ野球選手との結婚は珍しいものとなっていて、みんな同僚や広告代理店勤務といった堅実な相手を選ぶ。

「さすが村上未来、久々の派手婚だ。プロ野球選手とは、女子アナの王道を行っている」

とマスコミは持ち上げている。これで村上未来の商品価値はいっきに上がったとされているが、ミズホテレビの上層部はもはや彼女に執着はしなかった。

「とにかく水沢史乃《みずさわしの》を使うように」

という命が下った。人気上昇中の若手を第二の「村上未来」に育てようというのだ。

「まだアナウンサーとしての基礎訓練も出来ていませんよ。だいいち場数を踏んでいませんから、仕切りをやっていけるとも思いませんけれどね」

美季子の言葉に、室長の藤井が、わかってると憮然と答えた。

「これは賭けなんだから仕方ない。村上が抜けた後は、どうにかして穴を埋めなきゃならないだろう。水沢をバーンと使って、盛り上がったら勝ち、どうにもならなかったらその時のことだ」

美季子は倉橋真葉のことを思い出す。やはり「賭けに出て」、新人のまま大抜擢されたのだ。しかし局側の思惑どおりにはならず、番組は記録的な低視聴率となった。この事態はスポンサーを怒らせ、ただちにキャスター交替ということになったのである。この事態にマスコミが飛びついた。さんざん面白おかしく書き、当人は今のところレギュラーがなく、たまの特番やナレーションの仕事をしている。

「うちって、アナウンサーをルーレットのチップのように思っているのかもしれませんね。しょっちゅう賭けをして、うまく出ればめっけもん、ダメだったらさっさと下げるっていうやり方ですもの」

そう言ったのは三十代の後輩アナウンサーだ。これといって人気は出なかったが、喋る技術がしっかりとしているので、小さな番組に何かと重宝がられている。

「しかもそのルーレットっていうのは、若いチップしか使わない。私たちはテーブルの隅に忘れ去られてる、年代もんのチップっていうとこですかね」

「あはは、それはあたってるかもしれない」

「私が美季子さんを好きなのは、そういう風に笑ってくれるとこですね。他の人に言うと、すごく深刻な話になってしまうもの」

「だって本当にあたってるから仕方ないわよ」

「美季子さんはいいですよ。立派なご主人が出来て、のびのび仕事やってるっていう感じ」

「えー、そんな風に見えるのかなあ」

会社に来ている時には、以前と全く同じようにしている。それでもまわりからは大層変わったとはよく言われる。結婚を機に、取材が多くなったのは確かで、それを局側はうまく使おうとしているらしい。午後二時からの短い情報番組を持たされることになった。以前やっていた番組と似たような内容だが、違っているのはこれはほぼショッピング情報番組ということだ。ミズホテレビの内情は、こうした買物番組をつくるところまで来ているらしい。その際、視聴者からは「信頼されやすい」女性アナウンサーということで、若い社員ではなく美季子が選ばれたのだろう。

メイン司会者の大垣弓彦《おおがきゆみひこ》は、ひと昔前の大スターだ。時代劇でも活躍していた。その彼は目張りを入れた目を大げさに見開きながら、

「柳沢さん、すっごいですね、このお値段。淡水パールのこんな素敵なネックレスが、二万六千円なんて信じられないんじゃないですか」

「そうですよね。これからの季節、何かとお出かけが多くなりますけれど、このパールはいろんなお洋服にコーディネイト出来ますよね」

いくら不況とはいえ、こうしたショッピング番組に局アナが出演することは、以前だったら論議が起こったに違いない。けれど今の美季子は深く考えることはなかった。むしろ若い後輩たちにこの仕事がいくことがなくてよかったと思っている。自分だったら、きっとこの番組をうまくやりおおせるだろう。全くの買物番組を、ふつうの情報番組のように仕上げることが出来るはずだ。

「ねえ、古い積み上げられたチップでもね、楽しいことはあるんじゃないかなあ。まわりを見渡して、ルーレットのまわり具合やお客さんの様子見たりして。もう自分はゲームに加わ

っていないから、いろんなものは見えてくるはずよ」

「美季子さんがそんな余裕言ってられるのも、結婚したからですよ」

後輩は深いため息をついた。

「私、この頃本気で思いますもん。年くって人気もなくて、結婚も出来ないアナウンサーって本当にみじめだって。年くって独身のOLはいっぱいいるけど、私たちは顔や名前をさらしてる分、みじめさに追いうちがかかりますよ。私、このあいだなんか週刊誌の『あの女子アナは今』ってのに載りましたもん」

「知らなかったわ」

「それも大きな記事になるならともかく、小さい一覧表の一行。あ、美季子さん、笑わないでくださいよ」

「笑ってなんかいないわよ」

そういえば彼女も、十年ほど前はスポーツ番組のメインキャスターとして華やかな時期があったことを思い出した。

「独身、っていう文字の後に、ミズホテレビ在職中だって。これってかなりきついですよね。美季子さんはいいなあ、素敵な結婚して、もう美季子さんは、誰からもみじめって思われませんよ。私たちの世界って、信じられないくらい保守的ですもんね。三十過ぎたら辞める、結婚したら辞める、なんてまるで宝塚じゃないですか」

「本当にそうよね。私、古いチップになってから結婚してよかったわ。定年まで居座れるものね」

「あ、本当、嬉しい」

彼女は手を叩いた。

「うちって定年まで勤めた女性って、ほとんどいないじゃないですか。二年前に退職した野《の》口《ぐち》チーフぐらいでしたよね。美季子さん、辞めないで定年までいてくださいね。本当に、約束ですよ」

そんな風に過ぎていっても悪くないなと、美季子は考える。本気で辞表を出そうとしていた時もあったが、今はそれも過ぎた日のことだ。今までは五十過ぎると、系列のラジオ局に移ったり、子会社の部長職を与えられたりする。しかし時代は変わってきているのだ。いずれは白髪頭の女性アナウンサーがニュースを読んだりしてもいい。もしそれが無理でも、ナレーションを読む仕事に徹して定年を迎えるのも楽しいだろう。いずれにしても自分の傍には夫がいる。穏やかでユーモアがあり、しかも社会的地位も経済力もある男だ。今度の正月は、二人でオーストラリアへ行くことになっている。学会がシドニーで行なわれることになり、出席する岡田に連《つ》いていくのだ。レギュラーの番組は撮りだめしていたし、生番組の方は正月特番に変わっている。十日間は休みが取れるはずであった。

岡田はつくづくと言う。

「本当によく働いてきたと思うよ。今も急に立ち止まれないから忙しくしているけれど、もういいだろう。そろそろスピードを落としてくよ。せっかく君と一緒になったんだ。これからはうんと楽しもうと思っている」

先月はなかなか予約が取れない、箱根の高級旅館に泊まった。一泊五万円という空おそろしくなるような料金だが、夫がすべて払ってくれた。夜は手の込んだ料理が次々と並び、夫婦で日本酒をしこたま飲んだ。まわりが羨望の言葉を口にしなくても、確かに自分は幸福な結婚をしたらしい。幸福だと思う。こういうものが幸福なら、本当に幸福なのだ。しかし幸福だと自覚しようとする自分の行為に、その都度ぎこちないものを感じる。とり除けよう、とするものが、かえって大きな比重をもってのしかかってくる。さらに押しのけるために、

「自分は幸せなのだ」

とつぶやく。するとその言葉が急に空々しいものになってしまうのだ。

だから美季子は仕方なく、とり除けようとしたものを見つめる。どうしても去らないもの、それはやはり兼一のことなのだ。かつての同級生から、兼一が田舎へ帰ったと聞いた。

「奥さんとは別居してひとりで行ったらしいよ」

とっさには信じられなかった。妻とは美里のことでぎくしゃくしたところがあったとしても、ひとり娘を溺愛していた兼一ではなかったか。イラストレーターと浮気をしていた時、前妻の美里はそれこそ体を張って兼一の家庭を守ろうとしたのだ。それというのも、兼一に

とって家庭がどれほど大切か知っていたからに違いない。別居していたことは知っていたが、ひとり田舎に帰っていたとは思わなかった。これはもう一種の放棄というものではないだろうか。

「三橋の病気、よくないみたいだなあ。こんなご時世だから、うつなんか珍しくもないさ。だけどあんまり長くひきずっちゃうとまずいよなア。ほら、あそこの会社、大量の早期退職者募っているっていう話だぜ」

広告代理店に勤めている同級生は、マスコミの動向に詳しかった。兼一の勤めているのは大手の出版社であるが、今期大変な赤字を出し、株も下がっているという。

「ほら、俺たちの頃ってバブル入社で、給料もいいんだよな。働き盛りだから、リストラの対象にもなりにくいけど、その代わり働けなくなった者には相当厳しいんじゃないのかな」

兼一の携帯に電話しようとする心と、美季子は戦うようになった。

昼間はそうでもないのだが、夜タクシーに乗っている時、岡田の帰りを待っている時、つい手が携帯に伸びそうになる。今、電話をしてはいけない、ということははっきりとわかる。このあいだ初めて、兼一は自分を求めてきたのだ。

「俺のことを捨てるのか」

という言葉は衝撃だった。妻と子どももいる兼一から、そんな言葉を聞くとは考えてもみなかった。兼一が、それほど自分のことを愛しているのだろうかとまだ素直にはなっていない。けれども彼が自分を必要としていることは痛いほどわかった。それは愛人としてなのか、それとも深いところで繋がった友人としてなのか、兼一自身も判断がついていないはずだ。ただ兼一は、がむしゃらに自分を欲しているのだ。けれども自分はその心に応えることは出来ない。だったら別れるしかないのであるが、そう割り切れるほど兼一との仲は浅いものではなかった。

「友だちとしてなら、兼一とつき合うことは出来るかもしれない。愛とかそういうのではなく、励ます役なら出来るかもしれない」

自分でそう言ってみて、その偽善さにぞっとする。

愛し合うか、別れるしかないか、自分たちの仲は特別だと思ったところで、世の中の平凡な恋人の選択があるだけだ。携帯をかけたい心と戦うことに疲れると、こんな風に考える。

「明日はきっとかけたい、と思う心に負けてしまうかもしれない。だけど今日はかけないでおこう」

そうしているうちに一週間が過ぎ、十日が過ぎた。そして今年が終わろうとしていた。美季子は、いつものそっけない文字だけの年賀状の替わりに、写真つきのものを用意した。

「私たち、結婚いたしました」

という気恥ずかしい年賀状を、まさか自分が出そうとは思わなかった。しかし師走の十日頃、岡田が結婚式の写真を一枚出してこう言ったのだ。

「今年の年賀状、この写真でいいんじゃないか」

その口調があまりにも自然だったので、そうねと、美季子も答えていた。そして岡田が手配し、例年の倍の二百枚という年賀状が届けられた。ウエディングドレス姿の傍に、タキシード姿の岡田が立っている。そこにはこんな文字が添えられている。岡田が考えたものだ。

「おかげさまで、私たちは昨年新しいスタートを切ることになりました。〝若輩〟の言いわけがきかないカップルですが、どうか今年も仲よくおつき合いください」

パソコンに記録させていた年賀状の住所を、次々とプリントさせていく。それを確かめていった時、美季子は兼一の名前を見つけた。すんでのところで、彼のところにこの年賀状を出すところだったのだ。

とっさに携帯を持っていた。何も考えずに短縮ダイヤルを押していた。兼一が出たら、

「ごめんなさい。私、とんでもないことをしようとしていたの。本当にいやらしい、見せびらかしをしようとしていたのよ」

しかし向こう側からはテープが流れているだけだ。

「この電話は現在使われていないか、あるいは電波の届かないところに……」

安堵と不安が同時に押し寄せてきた。やはり兼一は相当悪いのだ。そうでなかったら、こんな風に携帯を止めるはずはない。どうやったら兼一と連絡がつくのだろうか。確か彼の郷里は仙台だと聞いた。実家の電話番号を知るすべはないのだろうか。そうだ、あの友人のと

ころへかけてみようかとあれこれ思いをめぐらす。学生時代の夏休み、東北旅行をした時に兼一の家に泊めてもらったことがあると話していた。しかし親しい仲ではなかったので、連絡先がわからない。それではあの友人、いや、あの人に聞いてみようと思いをめぐらしているうちに、突然携帯が鳴った。「ケンイチ」と表示されている。

「ケンちゃん、ケンちゃんね」

耳に押しあてるなり大きな声を出したが、

「いいえ、違います」

聞いたことがない女の声がした。

「わたくし、三橋多恵と申しまして、三橋兼一の家内です」

「ああ、そうですか。失礼しました。申しわけありません」

驚きながら美季子は、すぐによそゆきの言葉に着替えた。

「私は柳沢美季子と申しまして、三橋さんの大学時代からの友人です。以前おめにかかっているると思いますが。お加減が悪いと聞いていたのでお電話いたしました」

「柳沢さんでしょう、知っています。テレビでもよく見てますよ。ミズホテレビの女子アナやってる人でしょう」

〝女子アナ〟という言葉を、これほど侮蔑的に直《じか》に聞いたのは初めてであった。

「あなたのこと、ようく知ってますよ。大学生の時から、うちの主人とすごく仲よかったんですよね」

「そうです。グループで本当に仲よくさせていただいていました」

「グループだか何だか知らないけど、うちの主人にちょっかい出すのやめてくれませんか」

「はっ？」

「もう学校卒業して何年もたっているのに、本当にいやらしいったらありゃしない。あなた、主人の前の奥さんとも仲よかったんでしょ。それなのに前の奥さんが亡くなったとたん、うちの主人に近づいてきて、そういうこと許されないと思うんですよね」

「あの、奥さんは何かとても大きな誤解してらっしゃるみたい。私たち、学生時代からのつき合いで今も親しくさせていただいているだけです。男と女の仲なんてものじゃありません」

「あのね、主人も同じことを言っていて、私もずっと騙されていました。友人だっていうかずっと我慢していました。だけど違うじゃないの。あなたうちの主人と一緒に函館に旅行したりしてるじゃないの」

えっと息を呑んだ。どうしてそんなことを知っているのだ。二人で一度だけ旅行したことを、どうして妻が知っているのだ。

「主人が何もかも話してくれたんですよ」

多恵は勝ち誇ったように言った。

「函館でどういうことがあったのかもちゃんと話してくれました」

まさか、と思うものの打ち消す自信はなかった。心の病気で兼一は今までの彼とは違う、もしかすると秘密を隠しとおす気力を失っているかもしれない。

「あの、ご存知ないかもしれませんが、主人は仙台の病院に入院しました」

「そんなに悪いんですか」

「ええ、一度だけ自殺の真似ごとしたんですよ」

「何ですって！」

「ガス栓を開けっぱなしにして寝てたんですけど、隣の部屋の人がすぐに気づいて大事に至りませんでした。主人の両親とも相談しまして、とりあえず入院させました。あのままでいたら何度でも自殺しかねません」

「知らなかったわ……」

「そんな呑気に言わないでくださいよ」

可愛らしい声で女は怒鳴った。若いと聞いているが、いったい何歳ぐらいだったろうかと、美季子は本当に呑気なことを考えた。心のどこかが停止したままで、うまく機能出来ていないのだ。

「あなたさ、最近結婚したんでしょう。いろんなところに出てましたから、私も見ましたよ。相手は大学でも教えてるとても立派なお医者さんなんでしょう。それなのに、どうしていつまでも、人の夫にちょっかいを出すの」

「……」

「今も携帯にかけてきたりして本当にいやらしい。函館のことは、主人が告白したから私も許します。だけど今後のことは許さないわ。柳沢さんは有名人なんだから、いくらでもマスコミに売ってやるわ。あの頭のよさで売ってる柳沢美季子が、人の旦那を取ったって私がわめいたら、さぞかし楽しいでしょうね」

本当にそうだと、美季子は他人《ひと》ごとのように考える。

「だけど私はそんなことはしませんよ。私はそんな馬鹿じゃないもの。だからあなたも、もうこれ以上夫に近づかないでくださいい。本当によろしくお願いしますよ。わかりましたね」

その最後の高圧的な言葉で、美季子はようやく気づいた。自分がとても非礼な理不尽なことをされたということをである。が、その時は電話は切れてツーツーという音が聞こえるばかりだ。

もうこれで兼一のことはきっぱり忘れようと美季子は心に決める。多恵という若い女から、これほど屈辱的な電話を受けたのだ。何よりも美季子の心をうちのめしたのは、函館に旅行したことを、兼一が妻に話したということだ。こんな裏切りを兼一がしていたかと思うと怒りで体が震える。

「主人が告白したから私も許します」

あの女は確かに言った。許す、とは何という言いぐさだろうか。自分たちは罪を犯したのか。妻はそれを裁けるのか。妻という立場だけで、あれほど傲慢な口をきけるのか。

ああ、もうイヤだ。あんな男のこと忘れよう。最低の男だ。最低の夫婦だ。怒りのあまり吐き気さえこみ上げてくる。けれどその時、ひとつの声が甦ってきた。

「美季子、俺を捨てないでくれ」

最後に兼一が口にした言葉だ。魂を振り絞ったような切実な声だった。あの声で懇願した男が、本当に自分を裏切るだろうか。自分との大切な秘密を話して、妻に許しを乞うものだろうか。

「確かめなくてはならない」

このままあの女の言葉をそっくり受け入れたら、自分は一生人を信じられない人間になるに違いない。

「とにかく仙台に行ってみよう」

美季子は決心する。明日は幸いなことに後まわしの出来る仕事ばかりだ。同級生のところへ電話をかけまくれば、きっと兼一の実家はつきとめられるだろう。もし母親なり父親なりが、兼一の病院を教えてくれなかったら……。それは自信がある。

「ミズホテレビの柳沢美季子と申します。そう、三橋さんとは学生時代、親しくさせていただいたものです」

職業上、培った、美しく感じのよい声。これで親身になって問うてみれば、たいていの人は決して警戒はしない。案の定、夜ようやくたどりついた兼一の母親は、美季子が名乗ると、とたんに若やいだ声を出した。

「柳沢さん、もちろん知ってますとも。兼一もうちに帰ってくるたびに、あなたのことを自慢してましたよ。同級生で仲がよかったコだよ。こんなにテレビで活躍している、すごいだろうって。えっ、見舞いの手紙を出してくださる？　お聞きおよびでしたか……もうお恥ずかしいことになりまして。私どもも何が何だかよくわからないんですよ。みんな兼一の嫁が手配しましたんで……。ええ、住所を申し上げます。仙台市青葉区……」

新幹線の中で、美季子は兼一に言うべき言葉を考えている。決して病人を刺激するつもりはないけれど、どうしても確かめておきたいことがあった。旅に出た間だけの関係だったけれど、あれは美季子にとって本当に大切な夜だった。今まで生きてきたすべてのものが噴出し、そして静かに鎮まっていった。兼一とこうなるために自分は生きてきたのだ。自分たちはいつか、こんな風に体を合わせなくてはいけなかった。そうでなかったら、ずっと欺瞞《ぎまん》と問いかけの中で生きていったろう。崇高とも言っていい忘れられない夜。あの夜のことを、兼一は妻に告白し、許しを乞うたというのは本当なのだろうか。

そのことを自分は知りたいだけなのだ。昨夜から緊張のあまり、美季子は何も口にしていない。空腹も加わって吐き気さえある。通りかかった車内販売からコーヒーを買ったが、一口入れたとたん舌に違和感だけが残り、あわてて飲み込んだ。

「まさか……」

しかしこのことも美季子は確かめずにはいられない。あの妻からの電話を貰って以来、異様な興奮状態はずっと続いているのだ。仙台駅に着き、美季子は構内のドラッグストアへ行く。妊娠判定薬を買うのは初めてではない。以前若い男と同棲していた頃、おそるおそる何度か試したことがある。駅のトイレへ行き、脚を大きく開け放尿した。あまりにも勢いよく出したため、判定器を持った手に少しかかってしまった。舌うちしトイレットペーパーで拭く。その間にもハート印はみるみる濃くなっていった。

XIV

美季子はそれまで「運命」という言葉が好きでなかった。

もちろん友人との会話で冗談として使ったことがある。しかし安易にものごとを「運命だから」と言って決めつけるのは、美季子のいちばん嫌うところであった。ものごとがそうなるのは、自分の意志というものが動いているはずだ。何か符合することがあったら、それは偶然ということに過ぎない。

だが、今回のことは、とても人間の力が及ばない大きな力が働いているようだった。「運命」という名の神の手かもしれない。

もうじき四十四歳になる。この年で妊娠するとは思ってもみなかった。いや、心のどこかではそれを望んでいたのであるが、いつもの癖でかなわぬ夢はしつこく追うのはよそうと思っていたに違いない。

岡田も子どものことを口にしていないが欲しいに決まっている。ただ美季子の年齢を考え、遠慮していたのだ。もしこのことを告げたら、彼は驚喜するに違いない。そのことを考えると、美季子は笑みがこぼれた。そして、胸がきゅっと痛くなるほどの幸福感に包まれたのである。

子どもが出来た。もうすぐ母親になる。

自分にそんな幸福が訪れるとは。しかもこの年齢で。

自分がもうまともな結婚や出産が出来ないと思ったのは、いったいいつからだったろう。同棲していた恋人に突然去られた時だ。三十六歳の時だった。あのことは、自分が考えていた以上に大きな傷を残していたのだ。自分は女として何か大きなものが欠けているのではないだろうかという思いは、ずっと美季子を萎縮させていたに違いない。

四十代を迎えた時に、美季子は諦めていた。それは悲しみを伴うものではなく、むしろ快い諦観であった。たぶん自分は、このまま風変わりな女として老いていき、ひとりで死んでいくのだろう。それもいいかもしれないと思い始めた頃、兼一とのさまざまな出来事があり、そして岡田との出会いがあった。あれほどむずかしく複雑なものだと思っていた結婚が、急速にシンプルに行なわれた。そして妊娠という事実も、自然にこれほど早くやってきたのだ。しかもそれを仙台駅で知ったということに、美季子は生まれて初めて「運命」ということを思ったのだ。

これはたぶん何かの指示であろう。もう他の男のことを案じることはない。いまお前にとっていちばん大切なものはお腹の中の子どもなのだ。過去を振り返って苦しむのはやめなさい。子どもという、これ以上ないほどの未来のために生きていきなさいと、目に見えぬ大きな存在は美季子に告げようとしたのだ。

引き返そう、と美季子は決心する。すぐさま窓口へ行き、新幹線のチケットを買った。帰りはグリーン車にしたのは、ブランケットが置いてあるからだ。二十分もたたないうちに上りの新幹線がやってきた。窓ぎわの席に座り、膝までしっかりとブランケットをかける。そして腹の上に手をやる。まだ何の気配もない。ただ静かに上下しているだけだ。その時車内販売が近づいてきた。いつもの習慣で呼びとめかけ、美季子はあわてて手をふる。

「あ、いいです。ごめんなさい」

うっかりコーヒーを飲むところだった。確か妊娠初期に刺激物は避けた方がいいはずだった。再び腹に手をやる。多くの女たちが同じことを言うが、この中に新しい生命が宿っているのはとても不思議だ。その生命は、今自分と同じようにゆっくりと呼吸をしているのだろう。再び大きな幸福感が襲ってきて、美季子は息苦しくなる。そしてこのことを岡田にすぐ教えてやりたいと思う心と戦い続ける。こんな大切なことを、新幹線の中から切れ切れになる携帯でしたくはなかった。夜、たっぷりと驚かしてやるつもりだ。今、心の底から夫がこの世でいちばん大切だと思える。結婚以来、幸福にどこかぎこちなくなった自分の心が溶けていくのを感じる。全く現金なほどにだ。

子どもが出来た。この私が母親になる……。

掌の下で、温かくブランケットが揺れている。


とはいうものの、東京に着いたとたん美季子は少し慎重さを取り戻した。ごくまれであるが、市販の妊娠判定薬が間違いを犯すことを思い出したからだ。

東京駅から知り合いの女医に電話をかけた。もう診療時刻が過ぎているが、今から行っても大丈夫かと尋ねたのだ。

青山にレディスクリニックを開業する、児玉由梨子《こだまゆりこ》とはもう五年ごしのつき合いになる。番組のゲストとして知り合ってから、年に一度、乳癌と子宮癌の検診を受けているのだ。アメリカに留学していた由梨子は英語が堪能で、そのため患者は白人やフィリピン人が多い。待ち合い室でも顔を見られたりしないために、最近美季子は何かあるとすぐここに駆けつけるようになった。点滴を打ってもらうこともあるし、今年のインフルエンザの予防注射もここで打った。

「間違いないわ。三ヶ月になったところよね、おめでとう」

由梨子は椅子ごと大きくぐるりとこちらを向いた。

「やったわね。美季子さん」

「ありがとうございます。嬉しいです」

不覚にも目がしらがかっと熱くなった。

「この頃は四十過ぎの妊娠なんて珍しくないけど、油断すると大変よ。まあ、美季子さんならわかってると思うけど」

五十代半ばの由梨子は、既に孫がいる。娘もやはり医師になっているのだ。

「出来るだけ早く上の人に言って、きつい仕事は降ろしてもらうことよね」

「大丈夫です。私、もう早朝や深夜の仕事はしてませんから」

「美季子さんみたいなお仕事の人はむずかしいかもしれないけど、おしゃれより冷え対策よ。ヒールはやめてタイツはいて、もうおばさんに徹してね」

「もうおばさんですから」

「何言ってんのよ」

由梨子は笑った。

「でも嬉しいわ。美季子さんみたいに、大人で頭のいい人がお母さんになってくれるのは。女は母親になってこそ一人前、なんていう言葉、私は嫌いだけど、やっぱり人生をいろいろ経験した女の人に、子育てっていうのをしてもらいたいわ。これはすごく面白いことだから」

帰りに青山通りに面した本屋で、出産の本を買った。少子化といわれて久しいのに、なぜか棚いっぱいを占めていた。今夜さりげなく、この一冊をテーブルの上に置いておくというのはどうだろうか。岡田は手にとり、すべてを悟るはずだ。

いや、そんな演出をすることもないだろう。ただひと言、ふつうに告げることにしようと美季子は決める。

「あのね、赤ちゃんが出来たみたいなの」

そしてこの言葉は、想像以上に岡田を喜ばせた。

「本当？　嘘じゃないよね。まさかからかってんじゃないだろうね」

しつこく確かめた後、やった、と若者のようにガッツポーズをした。

「実はさ、僕も美季子との子どもは欲しかったんだけど、そんなことを望んじゃいけない、もうこれ以上の幸せを願うなんて、とんでもない欲張りだ、なんて考えてたんだけど、やあ、よかった……。僕もこの年でまた父親か。いや、〝また〟なんて言ってごめんよ。別に他意はないけど、怒らないよな、別にィ、その、いや」

文離滅裂に言葉を続けたかと思うと、

「そうか……、子どもが……」

とひとり言を口にする。そしてしばらくして、やっと医師らしい落ち着きを見せた。

「それで君が行ってるクリニックは、信用がおけるところなのか。もっと大病院に行った方がいいんじゃないのか」

「そこの女医さんは結構有名な人よ。本も何冊も書いてるわ。有名だからいいお医者さんっていうわけじゃないけど、とても信頼のおけるいい人。もちろん出産は別のところですることになるけど」

「そりゃ、そうだ」

岡田は都内の有名病院を幾つかあげる。

「あそこの内科部長は親しいから、いろいろ便宜を図ってもらえる。だけど美季子がブランド病院で出産したいっていうのなら、あっちの方がいいかもしれないが。ほら、芸能人が使うところだ」

と、今にも電話をかけるかのような勢いだ。

「やめてよ、まだ三ヶ月なのよ。高齢出産なんだから、ちゃんと出産までこぎつけるかどうかわからないのよ」

美季子は言って、自分の言葉の不吉さにぞっとした。自分には昔から悪い癖がある。先まわりして、悪いことをつい口にする。これはもう絶対にやめなくてはいけない。子どもを無事に産むまでに、決して諧謔《かいぎゃく》にしてはいけないことなのだ。

四ヶ月に入った頃、局の広報を通じてマスコミに発表した。結婚の時のように取材にくることもなく、

「柳沢美季子アナ、高年齢妊娠」

という囲み記事がスポーツ紙に出たくらいだ。しかし連載している女性誌からはすぐ反応がきて、出産・育児日記を書いて欲しいというのだ。

「これは女性の永遠のテーマなんですね、こういう読み物はすごく人気が出るんです。柳沢さんが書いてくだされればなおさらですよ」

と編集者の言葉は、まんざら世辞とは思えなかった。

引き受けるかどうか美季子は迷っているが、妊娠を知ったとたん、急に風景が変わり始めたことは、どこかに書きとどめておきたいと思うようになった。街を歩いていても、ショウウインドウのベビー服や子ども服が目にとび込んでくる。ベビーカーに乗った赤ん坊はもちろん、ランドセルをしょって歩く小学生まで可愛くて仕方ない。生命がキラキラ光っているさまに、つい微笑みかけたくなってくる。今まで子どもが嫌いだったわけでもないが、とりわけ好きだったわけでもない。それなのに出会う子どものすべてがいとおしく、やさしい気

分になってくるのだ。

そんな時、検診が終わり由梨子が突然聞いた。

「どうしますか、出生前診断《しゅっしょう》受けますか」

その口調があまりにも自然だったので、美季子もお願いしますと答えていた。出産に関する本にはどれも書いてある。四十歳を過ぎた出産は、染色体異常の子どもが生まれる確率が高くなるのだ。

「本当は医師の方から勧めちゃいけないことになってるんだけど、どうしますか」

「そうですね」

「うちじゃ出来ないから、別の病院を紹介するわ。羊水検査を受けることになるけれど、本当にたまに、これで流産が起こることもあるのよ」

「羊水検査って、お腹に注射器さすんですか」

「そうね、ブスッとやりますよ」

「イヤだわ、怖いわ」

「何言ってんのよ、美季子さん、お産の痛さに比べれば、あんなの蚊にさされるようなものね」

由梨子は肩を軽くぶつふりをした。

「そのお産ですけど、主人は年齢的なことを考えて、帝王切開にしろ、って言うんですけど、どうでしょう。私は最初で最後の経験になると思うんで、ふつうにお産をしてみたいんですけど」

「そうね、それは美季子さんが考えることですものね。まあ、近づいたら計画をたてましょう」

話がそちらの方にそれてしまったので、美季子もそれ以上検査のことを深く考えなかった。二日後、由梨子も一緒に行ってくれ、新宿の病院で羊水検査を受けた。確かにチクリと痛みはしたが、思っていたほどではなかった。さらに二週間後、美季子は言われたとおり由梨子の携帯に電話をした。

「もしもし、柳沢です。先日はいろいろありがとうございました」

「あ、どうも、こちらこそね」

職業上、人の声には敏感になっている。由梨子はいつもはこんな風に、そわそわとした喋り方はしない女だ。

「それがね、柳沢さん、ちょっと困ったことが起きたのよ」

「検査で異常があったんですね」

思わず先まわりして言ってしまう。別のことであって欲しいからだ。機械に不備があって、ちゃんとした検査が出来なかったの、あるいは、あるいは……いや、思いつかない。その前に由梨子はずばり正解を口にした。

「実はそうなんです。柳沢さん、今から来られますか」

「はい、行きます」

「こういうことはちゃんと会って説明しましょう」

ひとつ打ち合わせが入っていたが、強引にキャンセルしてもらう。とても電車に乗る気分になれず、局の前で客待ちしているタクシーを拾った。

いったいどうしてこんなことになったのだろう。染色体異常というのは、ダウン症の子どもが生まれる可能性が高いということだ。番組で関連団体やイベントを取材したことがあるから、どういう子どもたちかよく知っている。

まさかそんなことが。四十歳過ぎると１００分の１の確率で発生すると聞いたことがある。しかし由梨子は言ったものだ。四十過ぎて出産する女性はぐんと減るので、数字の分母が減るだけなのだ。だからそう心配することはないと、だから羊水検査を受けることにもあまり不安はなかった。しかし自分はどうやら１００分の１になったようなのだ……。

「残念だけど、こういう結果になってしまったのよ」

由梨子は目をしばたたかせながら美季子を見つめる。その目の奥に憐憫というものがあるかと思ったが、よくわからない。ただ困惑しているのだけはすぐ伝わってくる。

「ご主人とよく話し合って結論を出してくださいね」

結論という響きの残酷さに美季子はぞっとする。堕胎しろということなのか。授かった生命を密かに始末するということなのか。美季子は少女の頃からずっと信じていたことがある。それは自分は絶対に中絶するような人生をおくらないということだ。

「あの……」

美季子はようやく口を開いた。

「他の方はどうしてるんでしょうか」

「そうね、昨年私の患者さんで出産なさった方がいます。最初は動揺されていたけれども、ご夫婦でよく話し合って産むことになったのよ。女の子が生まれて、とても可愛がってるわ」

「それって、大変なことでしょうね」

「大変かどうかは、本人の考え方次第よ。何が幸せかが、人によって違うみたいにね」

「そうですよね。本当にそうですね」

美季子はやっとの思いで立ち上がった。衝撃が大きすぎて、心も体もうまく動いてくれない。ただ言えることは、自分が人生で最も大きな決断をするだろうということだ。この大きさに比べれば、恋愛も結婚もどうということがない。こちらの決断にはひとつの生命がかかっているのだから。

その夜岡田は、テディベアを抱えて帰ってきた。それは赤のタータンチェックでつくられている。あまりの可愛さについ買ってしまったという。

そんな岡田に、検査のことを即座に告げることはつらかったが仕方ない。夕飯までこのことを黙っていることは出来そうもなかった。

「ふん、なるほど」

医者らしく岡田は、美季子の話を冷静に受け取る。美季子が手渡した診断書にも丁寧に目を通した。それをテーブルの上に置いて静かに言う。

「残念だけれど今回は見送ろう」

「えっ、何ですって」

「今回は諦めようって言ってるんだ」

「それって、堕《お》ろせっていうことなの」

美季子はしんから驚いていた。あれほど妊娠を喜んでいたのだ。もう少し苦渋や迷いの表情を見せると思っていたのだがあっさりと言ってのけるではないか。

「今だったら母体にそう負担がかからないはずだ。将来のことを考えれば、今、決断した方がいい」

「ちょっと待ってよ。どうしてそんなに決めつけるの。この子どもを産めば、将来が真っ暗になるってどうして言えるのよ」

「ねえ、美季子、冷静に考えてごらん。僕たちは決して若くない。僕が二十代だったら、そういう子どもを自分の人生に迎え入れることも出来たかもしれない。だけど僕はもう人生後半に入ってるんだ。障害を持った子どもが生まれてきても、成人になるまで見届けられない可能性の方がずっと強い。だったら子どもが可哀想じゃないか」

「それなら、ふつうの子が生まれたって同じじゃないの。その子が成人になるまで生きていられる可能性なんて、どんな親だって持っていないはずよ。いつ癌になるかもわからないし、事故に遭うかもしれない。だけど親になる時に、みんな先のことを考えたりしないわよ」

「それは詭弁《きべん》っていうもんだ。障害があるってわかっている子を育てるパワーは、もう僕にはない。自信もないよ」

「パワーなんて、子どもを持ってみなきゃわからないじゃないの。きっと必ず出てくると思うわ」

「美季子、君の最初の子どもだ。気持ちはわかる。でも落ち着いて聞いてほしい」

岡田の口調はいつしか医師のそれになっている。落ち着いた論理的な口調。死というものを何回も見てきた人間の語りかけ。

「君はまだチャンスがある。二回めの子どもだってすぐに授かるかもしれない」

「おかしいわ。今僕たちはもう若くない、って言ったばっかりじゃないの」

「ふつうの子どもを産むには充分だが、障害のある子どもを育てるには年をとり過ぎてるって言ってるんだ」

「それこそ詭弁っていうものよ」

「じゃ、もっとわかりやすく言おう。僕は君という素晴らしいパートナーを得て、これからの人生を楽しみつくすつもりだったんだ。事実、結婚してから、とても楽しかったじゃないか。何もこの生活を断ち切ることはない。苦労は目に見えてる。君の仕事にだってさしさわりがあるかもしれないよ」

「私、そんなエゴイスティックな人間じゃないわ」

美季子は叫んだ。

「温泉行ったり、海外旅行したりするさしさわりがあるから、子どもを産まないなんて、そんなこと、とても考えられない」

「美季子、よく聞きなさい。僕は仕事柄、障害を持つ子どもの親を何人も見てきた。そんなキレイごとでいけるようなことじゃないんだ」

「キレイごとじゃないのよ」

ようやくわかった。自分がどうすればいいかをだ。

「そうよ。私はこの子どもと生きていきたいの。ただそれだけ」

美季子は岡田を見つめる。質のいいスーツを着た男が急に遠ざかっていく。

「あなたが拒否するならそれでいいわ。私、ひとりでも産むつもりよ。母性とかセンチメンタルじゃないの。私、この特別の子を授かったことに、何か——」

そうだ、探していた言葉が出てくる。

「運命を感じるの。不思議なくらいに」

次の日、由梨子に電話をかけた。

「主人はまだ反対しているけれど、私は産むつもりです。いいえ、産むことに決めました」

「そう、わかりました」

と言った後で由梨子はこうつけ加えた。

「美季子さんだったら、きっとそう言うと思ってたわ。あのね、昨日お知らせしなかったけど、生まれてくるお子さんは男の子よ」

電話を切った後で、美季子は腹に手をやる。産むと心を決めてから、わずかな間にぐんと成長したような気がする。

「ちょっとでも迷ったりしてごめんなさいね」

美季子は小さな生命に向かって話しかける。

「男の子なんだってね。どんな風になるのかわからないけど、とにかく頑張ろうね。あのね、お母さん、わりと頑張るの得意なんだ。今までも結構頑張ってきたんだよ。だけど今くらい頑張ろうって思ったことないよ。この頑張りのために今まで生きてきたような気がするくらいだよ。なぜだろう、不思議だね。本当に不思議だよね」

その時美季子は、仙台駅のトイレで感じたあの奇妙な感覚を思い出していた。

「君は少し、意固地になってるんじゃないか」

岡田は言った。

「しなくてもいい苦労をしようと、まなじりを決して、仁王立ちになっているような気がするよ」

「しなくてもいい苦労、ってどういうこと。子どもが生まれたら、親として当然しなきゃいけない苦労はあるかもしれないけど、しなくてもいい苦労、っていう意味がよくわからないわ」

「ほら、そんな風にむきになるところだよ」

岡田は美季子の肩に軽く手をやる。子どもを身籠ってからというものかすかに丸味を帯びた肩は、夫の手をやわらかく迎え入れてもいいのだが、触れられたところはただ掌の重さだけを伝える。

「ねえ、君は変わったよ。ぴりぴりしていて他のものを寄せつけない感じだ。そんなんで本当にいいのかって、僕は心配してしまう」

「何にも心配はいらないわよ。生まれて初めてのことだらけで、ちょっと緊張しているだけ」

「いや、そうじゃない。僕は妊娠した女性を何人も見ているけれど、ふつうもっと穏やかで幸せそうな顔をしているものだ」

「前の奥さんがそうだったわけね」

「ほら、またそんな言い方をする」

岡田は小さくため息をついた。美季子が妊娠してからずっとそうだ。身重の妻を思いやって決して諍《いさか》いを起こさないようにしているため、説得という形になる。

「君は本当にとげとげしく身構えるようになった。障害を持つ子を産むんだという気構えはわかる。だけど今からこんな風で、本当に君と子どもが幸せになれるかどうかは疑問だね」

「ほら、また決めつける」

夫の手をゆっくりと肩からどかした。

「障害を持つ子が生まれるからって、どうして不幸だと決めつけるの」

「そうじゃない。産む前からこんなにむきになってる母親を持って、子どもは幸せになれるかどうかって、僕ははっきり言って疑問だね」

もう一度妻の肩に手を置いてひき寄せる。夫の肘のあたりからはよいにおいがする。カーディガンの上質なカシミアのにおいに整髪料が混ざり合ったものだ。

「ねえ、僕たちはとても幸せでうまくいってたじゃないか。毎晩うまいものを食べ、酒を飲むのがこんなに楽しいのかって、君と結婚してからしみじみと思ったね。これからの人生、こんな風に楽しく続くんだって僕は信じていた。いや、今も信じている。君の明るい笑い顔をもう一度見られるってね」

「それって……」

美季子は夫の顔を見上げる。少し弛みの出た中年の男の顎には隠やかさといたわりしか浮かんでいないように見えた。

「それって、堕ろせっていうこと」

「そうだよ」

夫は優しさを込めた手で、妻の肩をしっかりと抱く。

「まだ間に合うよ。妊娠を知っている人たちには流産したと言えばいい。君の年齢なら誰も不思議に思わないだろう。知り合いに腕のいい産婦人科医は何人もいる。体を傷つけないようにちゃんとやってくれる。子どもは次に産めばいい。一回妊娠したんだ。だから必ず子どもは出来る。だから焦ることはないんだよ」

美季子はしばらく声が出てこない。途方もなく恐ろしいことを言われたような気もするし、なぜか予想された言葉のような気もする。ただゆっくりと首を横に振った。

「そんなことは絶対に出来ない。もうこの子は私の中で育ってるもの。この子を失うようなことは絶対に出来ない……」

「美季子……」

途中で言いかけてやめたのは岡田の方だ。

「そうかもしれない。母親っていうのはそうかもしれないね。だけど、言っておくよ。僕はここまで言った。だから僕に父親としての役割や責任を負わさないでくれ。はっきり言おう。まるで自信がない。僕にはもう娘がひとりいるし、過大なものをどうか求めないでくれ」

「わかってるわ」

「もちろん君を妻としてずっと愛していくし、子どものめんどうも見る。だけど僕にいろんなものを求めないでくれ。これだけはあらかじめ言っておく。子どもが生まれてから争うのはまっぴらだからね」

「わかっているわ」

なぜかわからないが美季子の唇から笑みが漏れた。いろいろな謎がやっと解けた思いだ。この男のことを愛していたが、唯一わからなかったジグソーパズルのピースがぴたりとおさまったのだ。

「あなたって本当に完璧主義者だものね。素敵な家に素敵な妻、楽しい暮らしを望んでいたのに、それからはみ出すものは我慢出来ないのよね」

美季子は立ち上がる。四ヶ月となった腹はまだほとんど目立たない。この下で息づいているものを感じるのは、母親だけの特権だ。

「何も心配しないで」

さっきまで自分の肩を抱いていた男に向かって言った。

「最初から期待してはいなかったもの。私が勝手にするから。心配しないで」

と美季子は声に出し、その言葉の陳腐さに我ながらぞっとした。勝手に子どもを産んで育てるからいいの、などというのは安手のメロドラマのセリフではないか。妻子ある男と不倫しているならともかく、きちんと結婚をしている男女に「勝手に」などと言うことが出来るわけがない。

子どもの顔を見たら岡田の気持ちが変わるかもしれない、などというのはそれこそ楽観的な予想だろう。これから長い葛藤が始まる、と考える方が正しいに違いない。けれども美季子の中に、子どもを始末しようなどという気持ちは全く生まれなかった。最初の迷いは嘘のように、なんとかこの子どもを産み育てるのだという気持ちは日に日に大きくなっていく。

この頃の美季子は、インターネットや本でダウン症の子どものことを調べるようになった。あれ以来何かと相談にのってくれている女医の由梨子は言う。

「ひと言にダウン症といっても、本当に症状に差があるのよ。私の知っている人で、お嬢さんがダウン症の人がいるわ。有名企業の相当の地位にいる方よ。こういう人って隠したがることが多いんだけど、奥さまがえらかったの。ご主人にも協力してもらって、そりゃ大変な訓練をしたのよ。いろんなところにも連れ出して、ふつうの子と同じように育てた。だからね、そのお嬢さん、見かけはかなり小さいけど、頭もしっかりしていて会話に何の支障もないわ。確か二十二歳で、どこかにお勤めしているはず。この頃は一般企業でも、障害のある人を雇うことが決められているから、しっかりしたところできちんと勤めているはずよ」

「そうですか……」

「何だったら、奥さんの方をご紹介しましょうか。ダウン症の子どものために、いろんな活動もしているとても素敵な方、きっと美季子さんと話が合うわよ」

「いいえ、そんな」

うまく言葉が出てこない。この優しい女医を傷つけないようにするにはどうしたらいいのだろうか。

「別に取材しているわけでもないから、そんなに必要以上のことを知ろうとは思わないの。何て言うのかしら、あんまり大げさなことにしたくないの」

由梨子は何か言いかけたけれどもすぐにやめ、さっそく超音波の準備に取りかかった。

胎児を観察するというのは、妊婦の至福の時だ。腹をむき出しにし、マーカーが滑りやすいように液体を塗る。

「ひやっとするけど、ごめんなさいね」

と由梨子は言い、慎重にマーカーをあてていく。半円の暗い画面に、古代の勾玉《まがたま》のような胎児の姿が浮かんだ。

「とっても順調だわ……。ほら、見て、ここ。男の子のしるしがちゃんと出てきてるでしょ」

「本当だわ」

美季子は大きく深呼吸した。男の子だと聞いた時、これで覚悟が決まったような気がする。が、女の子と聞いてもやっぱりそうだっただろう。


ケンちゃん、お元気ですか。このあいだの手紙も返事をもらわなかったけど、しつこくまた書いています。

実家のお母さまに電話でお聞きしたら、病院でもちゃんと手紙は受け付けてくれるとのこと。だからちゃんとケンちゃんの手元に届いていると思います。

病気、一進一退だそうですね。私のまわりでも心の病気にかかった人がとても多くてびっくりします。テレビ局なんていうところは、チャラチャラした人間が、騒々しく楽しく仕事をしているところと思われていて、事実一種の躁状態に近いところにいる人はいます。そうでなければやっていけないところもあります。けれどもみんな心の奥深いところでは、さまざまな闇を抱えて生きているんだなあとしみじみ思います。

実は私、この年になって妊娠しました。もうじき五ヶ月になります。結婚した時、もしかしたらと考えないこともなかったけれど、四十過ぎの妊娠はちょっと無理かなと考えていたからとても嬉しかったわ。だけど何気なくやった出生前検査で染色体異常がわかりました。ということは、ダウン症の子が生まれる可能性がとても大きい、ということです。最初はどうして私が、という気持ちになったのは本当ですが、少し落ち着いてみると、どうしてもこの子どもを産みたい、一緒に生きていきたいという気持ちになりました。

夫は反対しています。彼には既に子どももいますし、今さら苦労したくない、という気持ちのようです。それまでは結構仲よくやっていたつもりですが、検査を受けてからというもの、ずっとぎくしゃくした関係が続いています。ケンちゃんが元気だったら、いろいろ相談したいところだけれども残念です。ケンちゃんが今、大変な状態にいるのはわかっているけれども、やっぱりいろんなことを話してみたいのはケンちゃんなんです。

勝手なことをいろいろ言ってすみません。私のメルアドは以前のままです。病院は携帯がいけないのかしら。もしよかったらメールをください。お待ちしています。

美季子

妊娠について、誰かが言っていた。体がまるでエイリアンに占領されたようになるというのだ。なるほどうまいことを言うと。体の内部がぐにゃりと気味悪くうごめいていく。大きな異物が確かに入り込んでいるのだ。

妊娠八ヶ月になった。着るものやカメラワークでうまく誤魔化していたけれども、さすがに限界を感じるようになった。バストアップなら何とかなるけれども、全身を映されるとなるとやはり見苦しい。美季子は産休を取ることにしたが、これも例によって好意的に解釈された。驚くほど大きな記事になり、女性週刊誌を飾ったのだ。内容はというと、今まで容姿ばかりを問われ、三十歳が定年とされた女子アナウンサーの世界が、やっと変わろうとしているというのだ。四十過ぎて妊娠しても画面に出続け、出産の後は復帰する。ふつうの職業人と同じように、テレビの世界にいることが素晴らしいというのだ。ある記事の最後など、

「テレビの世界が、ひとりの女性の行動によって変わろうとしている」

と顔を赤らめるような文章で終わっている。何をしたわけでもない。子どもを産もうとしているだけではないかと、美季子は言いたくなってくるのであるが、考えてみると現職のアナウンサーが、在職中に出産するというのはそう珍らしいことではない。たいていの女が三十歳になるか、結婚を機に退職しているからである。しかし、妊婦姿の女性アナウンサーが画面に出るというのは、非常に珍しいことなのだ。ましてや美季子は四十代である。何か意味あることのように、マスコミに取り上げられるのも仕方ないことであった。

ワイドショーの旅のレポーターはとうに交替していたが、美季子が最後まで続けていたのはショッピング番組であった。

「ちょっと信じられませんね。この値段。それでは柳沢さん、ちょっと説明してもらえますか」

司会役の俳優が明るい声で言うと、美季子はよく訓練された声で説明を始める。

「はい、それではちょっと説明させてくださいね。このネックレスは0・2カラットと本物のダイヤを使っています。しかもこの品質で、三万七千円！」

えー、とかワー、などといったどよめきが起こる。アシスタント・ディレクターがかき集めた〝仕出し〟と呼ばれる女たちだ。大きな驚き声や笑い声が欲しい時にかき集められる。

「柳沢さん、どうですか。女性だったらこのネックレス、心をかき乱されませんか」

放送作家が書いたひどい台本であるが、時代劇スターだった時の慣習そのままに目張りを入れた俳優が感に堪えぬように言うと、スタジオ中の空気も一変する。女たちは彼の口元をいっせいに見つめるのだ。自分たちの期待する甘い言葉をたくさん浴びせてくれるに違いないと思っている。が、美季子は、

「でもダイヤって、お友達の結婚式の時にしかしないんですよね」

と、やや甘えた声を出す。すると司会役は、

「それは困りましたね。でもお任せください。東京宝石&パールでは、このたび店舗を一新しました。三階にはなんとリフォームコーナー。あなたがもて余していた洋服やアクセサリーのすべてを引き受けるんですよ。ほら、見てください。立て爪のダイヤのリングだったん

です。東京宝石&パールではエンゲージリングを始めとする全てのダイヤを、あなたの好きなデザインに変えてくれるんですよ」

美季子はここで、ちょっとした反応をする。台本に書いてあるからだ。

「まあ、私のエンゲージリングもデザイン変えてもらえるんですね。それはいいですね。愛情は変わるはずないんですから」

いつかあの放送作家を替えてくれればいいなと考える美季子の元に、佐久間夕夏《さくまゆか》が挨拶にやってきた。来月から美季子の後釜になる女性アナウンサーである。彼女は新しいこの仕事に満足しているわけではないだろう。

スポンサーに媚びるためだけにあるショッピング番組だ。楽しいはずはない。

夕夏は入社三年め。元アイドルという肩書きをひっさげて入社して、男性週刊誌の格好の標的となった。ひと頃は雑多な記事が並んでいたものである。が、それも遠い話だ。今の夕夏は、同期の人気者たちに完全に水をあけられてしまった。最近はこれといって仕事もなく、このショッピング番組が唯一のレギュラーという。

「ねえ、佐久間さん、この番組、決しておざなりに考えないでね」

美季子は若い女の目を覗き込む。かすかに茶色の虹彩の大きな目は、睫毛のエクステンションで縁取られている。入社三年ともなれば、ヘアメイク顔負けのこのくらいの化粧は出来るはずだ。若い、少々傲慢な目に向かって言う。

「ねえ、この番組、もし若いキレイなだけのタレントさんが司会をしていたとしたら、たぶんね、言葉が宙に浮いてしまう。そらぞらしい、ただのショッピング番組になってしまうはずよ。でもね、私たち局のアナウンサーがすればきっと違う、と思って私はずっとやってきたわ。私たち、信頼されているのよ。それはね、ミズホテレビ全体を代表していると思われているからかもしれない。私たちがきちんとした会社員だっていう信頼だからかもしれない。だからね、本当に心を籠《こ》めてやってね。報道をすると思ってショッピング番組やってね。そうすればきっと気持ちが見ている人に通じるはずよ」

これがどこまで相手に伝わるかわからない。けれども美季子は、あきらかに不満気な後輩にこう言わずにはいられなかった。

「私たち、やっぱり信頼されているのよ」

そう信じることが、仕事をしていくことにいちばん必要だと美季子は伝えたかったが、どこまでわかってくれているだろう。

番組終了二分前、アシスタント・ディレクターが「まとめてください」というボードを出した。

メイン司会者の俳優が、にこやかな表情をさらに強くし始める。

「さて、ここで皆さまにお知らせが。ずっと僕と一緒に司会をやってくれていた、ミズホテレビアナウンサーの柳沢美季子さんが、このたび産休をとられることになりました」

スタジオ内から、〝仕出し〟とスタッフの拍手がわき起こる。

「皆さん、ありがとうございます」

美季子は頭を下げた。俳優は最後に少し気のきいたことを言おうと美季子の方に向き直る。

「柳沢さん、高齢出産ということになりますけど、どうか元気で丈夫な赤ちゃんを産んでくださいね」

「そうですね、いろんなことがあるかもしれないけど頑張ります」

日頃大嫌いな〝頑張ります〟という安易な言葉を使ってしまったが仕方ない。この先、たぶん美季子は本当に頑張らなくてはならないのだから。

番組終了の後、自分のデスクの私物を紙袋に入れ、美季子は局を出た。午後のまだ早いこともあり、地下鉄でデパートへ向かう。悪阻《つわり》のことをさんざん聞かされていたが、幸いちょっとした吐き気だけで終わり、あとはふつうに生活している。若い妊婦のようなマタニティ服をどうしても着る気になれず、大きめのジャケットとファスナーを半分おろしたスカートで誤魔化していたがもう限界だろう。銀座のデパートで、シンプルで地味なものを選んでいたら、女性店員がすっと寄ってきた。

「おめでとうございます」

ええ、まあと適当に言葉を濁していると彼女はまんざら接客用でない笑顔でこう言った。

「ミズホテレビの柳沢美季子さんでしょう。お子さま出来て本当によかったですね。柳沢さんは私たちアラフォーの希望の星ですよ。私も、私のまわりの友だちも、柳沢さんのおめでたを聞いて本当に喜んでるんですよ」

「ありがとうございます」

そっけなく答える。こういう好意がわずらわしかった。この女たちは、もし自分がダウン症の子を授かったと聞いたら、どういう風に反応するのだろうか。

「やっぱり四十過ぎての妊娠ってよくないのね」と頷き合うのだろうか。結婚の時、女性誌などになまじ出たため、女たちの偶像になりかけていることを美季子は後悔している。自分の生き方が憧れられるなどという、馬鹿げたことがあってもいいのだろうか。自分は本当のことを告げてはいない。かつての同級生と関係を持ったこと、そしてダウン症として生まれてくる子をひとりで育てようとしていることをだ。美季子は女店員をふりほどくようにしてマタニティコーナーを出た。

デパート内を歩いた疲れもあり、デパートの前からタクシーに乗る。家のドアを開ける。夫が家に居る日は、その瞬間にわかった。もう暖房を使う季節でもないが、人の気配というのは、それだけであたたかい。あの日以来、美季子に先に帰宅した岡田が声をかけてくれることはほとんどないが、それでも人がいる家はあたたかかった。

居間のドアを開けた時、美季子はテーブルの上に白い大きな箱を見つけた。早めの出産祝いだろうか。しかし包み紙も宅配の送り状もない。リボンがかかっているだけだ。中を開ける。黄色のベビー服であった。小さなくるみボタンと衿のレースが、なんとも愛らしかった。岡田が買ったものだ。男か女かわからないため、どちらにしてもいいように黄色にしたのだろう。

夫に、男の子が生まれてくることをまだ告げていないと思い出したとたん、美季子の目から堰《せき》を切ったように涙が流れた。ベビー服を抱きしめたまま、美季子はその場にうずくまる。涙はいくらでも出てきて止まらなかった。

ケンちゃん、やっぱり返事がこなかったけれども、こうして手紙を書いています。お腹がだんだんせり出してきて、歩くのも大変になっています。もう後戻り出来ないとわかっているのに、ひょっとして、産んでみたらふつうの、何も障害がない子じゃないかなんてことを、心のどこかで考えている。私って本当に諦めの悪い親です。だけど生まれてきたら、今度こそ本当に覚悟を決めて全力で愛してやるぐらいの気構えはあると思う。だからね、こんなとこで許してくださいとお腹の子に向かってつぶやいています。

お母さんから聞いたけど、奥さんと正式に離婚したんですって。治療が長びきそうだからっていうことですけれど、聞いて本当にびっくりしました。まあ、私には何も言えないけれど。

ところでこのあいだ、街でばったり大学のクラスメイトに会いました。たぶんケンちゃんの知らない女の子よ。といっても私と同じ中年の女になってたけど。高校生の綺麗なお嬢さんを連れ、おしゃれな格好をしていた。豊かで幸せな生活をしていることは、ひとめでわかったわ。

ケンちゃん、私は不思議だった。私たちだってこういう人生たどってたって、まるっきりおかしくないわよね。私たちは一流っていわれる大学に通い、入るのにとてもむずかしいマスコミの世界に進んだわ。私がアナウンサーの試験に合格した時は、故郷では大変な騒ぎになり、出身高校から講演を頼まれたほどよ。そして考えると、私は、いつのまにか傲慢になっていったのかもしれない。私は選ばれた人間で、ずっと極上のいい人生を歩けると考えてたのよ。たぶんケンちゃんもそうだったんじゃないかしら。

だけど神さまは、私たちに次々ときついことを仕掛けてきた。ね、そうでしょう。どうして自分たちだけがこんなめに、と泣きたくなるようなことばかり私たちには起こったわね。でもね、私はこう考えるの。たぶん私たちはうんと深い面白い人生を味わえるんじゃないだろうか。世の中には、神さまから宿題を与えられた人間がいるの。やっかいな宿題をね。私もケンちゃんもそうした人間だったの。たぶんとても体力と気力があると、神さまに見込まれたんでしょうね。そう、きっと私たちには知性と感性っていうやつもあったのよ。しんどいけど、私はうんこらしょって、ひと頑張りしてこの宿題をするつもりよ。大学を卒業して以来のレポートを、ちゃんと書き上げていこうと思ってる。苦しんだ者たちだけが書き上げるレポートをちゃんと提出して、他の人には出来ないことをしたよと、私たちは胸を張って死んでいこう。でもそれは今じゃない。何十年後の話だよ。

そう、レポートの途中だけど、このことは聞いておきたい。ケンちゃん、本当に私のこと好きだった？　私はむちゃくちゃ好きだったよ。

四十代の〝恋〟はオシャレの総仕上げ

フリーアナウンサー《アナウンサー》・中井美穂×著者・林真理子 対談

この対談は、「STORY」(二〇一〇年二月号)に収録されたものです。

絶対に家庭を壊さないこと。それが四十代の恋の掟だと思う

林 この小説は、年を経ると冷遇される局アナの辛《つら》さと、四十二歳の局アナ、美季子《みきこ》の恋物語を描いたんです。美穂ちゃんは局アナを経て今もキャスターとして活躍されているけど、仕事をしていると魅力的な人に会うでしょ? 例えば、今日はフォトグラファーが桐島《きりしま》ローランドさん。携帯の番号、教え合ったりしない?

中井 ないですね。こういう場だと〝ビジネス〟って感じになってしまいますよ。林さんはどうですか?

林 友達にすごーく綺麗《きれい》な女性がいて、「恋人いるでしょ?」って聞くと、「あなたもいるでしょ?」って切り返されたの。その時、すごいなー、負けたわって。今の四十代、恋人のいない人はいないんじゃない？　どこまでを恋人と言うかだけれど。

中井　夫以外の男性と二人きりで食事をすることはセーフですか？

林　全然構わないと思います。私はしょっちゅうしてますけど。

中井　私の中でも百パーセントセーフなんです。でもそれを許さない旦那《だんな》さんは、結構いるとか。

林　うん。夫はどこまでを妻の浮気と考えるかというアンケートでは、かなりの数の夫が「二人きりの食事は浮気」と返答するんですって！

中井　昔、ロバート・デ・ニーロとメリル・ストリープの映画『恋におちて』の中で、心が通じ合っている人妻と肉体関係を持たなかった夫が、「それがいちばん悪いのよ」と妻から詰《なじ》られるシーンがありましたよね。性欲やアバンチュールを楽しむ感覚のほうが、心を持っていかれるよりはまだいいっていう、この妻の気持ち、わかるなあ。小説の中でも、主人公の美季子は大学時代の友人である兼一《けんいち》と、彼の前妻である美里《みさと》の死後、一晩だけ関係を持ちますが、恋なのか、情愛なのか……。

止められないのが恋。バレなければ、ないことと同じ

林　この小説を通じて問いかけたかったのは、失った青春を取り戻そうとする行為は、果

たして幸せにつながるのか、ということ。この場合、男性の兼一のほうがそれを求め、強引に美季子と結ばれたわけだけど、彼女もこれは本当の恋愛じゃないと、薄々感じていると思う。それに、そもそも恋愛かそうでないかに境界線を引くこと自体、難しい。止められないのが恋。もし恋に落ちているのに気づいたら、夫にバレないようにやるしかない。バレなければ、ないことと同じ。

中井　ははははは。

林　それよりも四十代の恋で絶対に守らなくちゃいけないのは、家庭を壊さないこと。この小説でいうと、大学時代からの恋人同士、兼一と美里の夫婦は、兼一の浮気が原因で離婚。兼一が不倫相手と再婚後、美里がガンになるという話なんだけど、兼一みたいに家庭を捨てて一緒になる人って何万人に一人。子供がいると、子供が傷つきます。息子は許しても娘は許さないから。

中井　映画『あの日、欲望の大地で』の主人公も母の浮気がトラウマとなって、歪《ゆが》んだ恋愛をするんですよ。

林　四十代だと娘は思春期。女子高生では「汚ない」としか思えない。

中井　親だって娘がそんなことになったら、ショックを受けますからね。

林　もし、バレても絶対に認めてはいけませんね。面白《おもしろ》い話があって、知人の男性が、ホテルで愛人とベッドにいるところを妻に乗り込まれたのに、介抱《かいほう》だと言い張ってなんとか乗り切ったらしい。けれど、皆さんは細心の注意を払いましょう。こんな話題が成立するのも、今の四十代は嘘《うそ》みたいに綺麗だから。

四十代なら、そう簡単に声を掛けられないくらい綺麗な女性になりましょうよ

中井 綺麗になるとか、若く見られるとかが目標にならないようにしないと。そのうえでどうしたいかを持っていたいですよね。

林 若く見られた、声掛けられたなんてことだけで喜んでいてはだめね。

中井 どういう形で自分の魅力を出すのかだと思うんです。むしろ、そう簡単には声を掛けづらい、綺麗な大人の女性を目指したいですね。

林 そのとおり。四十代の恋って、「会話」から始まるもの。「なんて楽しいの、話していると時の経つのを忘れるわ」。そこからのスタートじゃない。

中井 大人の女性は身も心も成熟しているから、恋をしたら、それは素敵でしょうね。

林 だからこそ、四十代は年下男性と関係しちゃいけません。美季子が一回りも年下の男と同棲したようには。

中井 どうしてですか。

林 いつも50：50で、男性のほうがお金を持っていて社会的地位もなくては。こちらも大

変な秘密を抱えるわけだから、相手にも同じくらい秘密を背負《せお》わせるの。何も失うものがないような年下を相手にするから、大変なことになるんです。

中井　小説の中にもありましたね。兼一が懲《こ》りずに浮気をして、愛人の若いボーイフレンドに恐喝《きょうかつ》されてしまうというシーン。お互いリスクを背負って、承知のうえでのことですから、覚悟が必要。覚悟があれば、たとえお金をとられても、捨てられても自分の責任。

林　二十代で失恋すると、性格が悪かったから？　と思えるけれど、四十代では、胸が垂《た》れているから？　出産したから？　と、体への自己否定が強くなるんです。まっ、暗いところだとわからないんだけれど（笑）。

中井　ははは。四十歳を過ぎたら、夢物語では語れません。自分の人生をどう生きていくのか、意志を持って生きていかないと流されたときに人の責任にはできない。

林　美穂ちゃんや私は「仕事があっていいね」なんてよく言われるけれど、二十代から計画して、コツコツやってきた結果が今出ているわけで。仕事があり、人生があり、そのうえでのオシャレや恋だと思います。何が主食で、何がオヤツかで人生は決まるの。厳しいことを言うけれど、主食が美容や若く見られることになっている人生だからつまらない男に騙《だま》されるのよ。

四十代の恋はなかなかありつけないスペシャルメニュー

中井　おぼろげでもいいから、今後の生き方を考えていかないと。その中に恋愛を入れたいならどうぞ、と。でも甘いピンク色のスイーツを入れるには、同じ重さ以上の脂肪というリスクを負わなきゃいけない。四十代で恋をするなら、覚悟しないと。小説の主人公である美季子を見ていて、そう痛感しました。

林　でも女同士でオシャレの話をするよりも、男の人に手を握られながら「綺麗」と言われると百倍楽しいわ。オシャレの総仕上げに、非日常を味わわせてくれ褒《ほ》め尽くしてくれる崇拝者を持つのは最高。

中井　非日常的なのが恋、という意味ではありえますね。

林　二十代の恋は主食みたいなものだけど、四十代の恋はなかなかありつけないスペシャルメニュー。行くか、とどまるか、それも成熟した大人の決断です。

中井さんが〝美季子〟を通して感じたこと

「局アナは年を経るに従って、画面に出る機会が少なくなる傾向が確かにあると思います。

誰もプロデュースしてくれないし、自ら道を切り拓かないといけない。華やかに見えても、前進できない美季子の気持ちはよくわかります。でもどの道を選ぶか、どんな仕事をしたいか決断するのは自分。その意味では、恋も仕事も人生も、同じなのかも」

林さんが〝美季子〟を通して伝えたかったこと

「『私のこと、好きだった？』の中では、男の人が幸せだった青春時代を求めているんです。それを取り戻そうとして、同級生の女性と結ばれたけれど、結局はそれぞれの道を歩む。今日の対談でも話題になりましたが、若さにしがみついていたり、固執していては幸せにはなれないということを、いちばん書きたかったんです」

取材／安田真理

なかいみほ　一九六五年ロサンゼルス生まれ。日本大学藝術学部卒業後、八七年フジテレビ入社。「プロ野球ニュース」では番組初の女性メインキャスターに。九五年に古田敦也氏と結婚後、退社。以後、フリーアナウンサーとして活躍中。

二〇〇九年十二月　光文社刊

光文社文庫

私《わたし》のこと、好《す》きだった？

著　者　林《はやし》　真《ま》　理《り》　子《こ》

2012年12月20日　初版1刷発行

発行者　駒　井　稔
印　刷　萩　原　印　刷
製　本　ナショナル製本

発行所　株式会社　光　文　社
〒112-8011　東京都文京区音羽1-16-6
電話（03）5395-8149　編　集　部
8113　書籍販売部
8125　業　務　部

落丁本・乱丁本は業務部にご連絡くだされば、お取替えいたします。
ISBN978-4-334-76500-2　Printed in Japan

組版　萩原印刷

お願い　光文社文庫をお読みになって、いかがでございましたか。「読後の感想」を編集部あてに、ぜひお送りください。
このほか光文社文庫では、どんな本をお読みになりましたか。これから、どういう本をご希望ですか。どの本も、誤植がないようつとめていますが、もしお気づきの点がございましたら、お教えください。ご職業、ご年齢などもお書きそえいただければ幸いです。当社の規定により本来の目的以外に使用せず、大切に扱わせていただきます。

光文社文庫編集部

光文社文庫　好評既刊

札幌駅殺人事件　西村京太郎
長崎駅殺人事件　西村京太郎
仙台駅殺人事件　西村京太郎
京都駅殺人事件　西村京太郎
上野駅13番線ホーム　西村京太郎
伊豆七島殺人事件　西村京太郎
ある朝海に　西村京太郎
赤い帆船　西村京太郎
第二の標的　西村京太郎
マウンドの死　西村京太郎
ケンカ、友情、サツ婆ちゃん ちょっぴり初恋　西村　淳
名探偵の奇跡　日本推理作家協会 編
不思議の足跡　日本推理作家協会 編
事件の痕跡　日本推理作家協会 編
人恋しい雨の夜に　日本ペンクラブ 編　浅田次郎 選
ただならぬ午睡　日本ペンクラブ 編　江國香織 選
鉄路に咲く物語　日本ペンクラブ 編　西村京太郎 選

撫子が斬る　日本ペンクラブ 編　宮部みゆき 選
こんなにも恋はせつない　日本ペンクラブ 編　唯川　恵 選
その向こう側　野中　柊
犯罪ホロスコープⅠ 六人の女王の問題　法月綸太郎
ひかりをすくう　橋本　紡
虚の王　馳　星周
いまこそ読みたい哲学の名著　長谷川　宏
ポジ・スパイラル　服部真澄
真夜中の犬　花村萬月
二進法の犬　花村萬月
あとひき萬月辞典　花村萬月
私の庭 浅草篇(上・下)　花村萬月
私の庭 蝦夷地篇(上・下)　花村萬月
私の庭 北海無頼篇(上・下)　花村萬月
スクール・ウォーズ　馬場信浩
「どこへも行かない」旅　林　望
古典文学の秘密　林　望